地政学で読む近現代史

対立する米中の「覇権の急所」はどこか

Naito Hirofumi
内藤博文

KAWADE夢新書

「勝者の知恵」から現代のパワーバランスを読みとく●はじめに

世界史の興亡は、武力、文化の相剋だけでなく、世界を俯瞰できる知略と知謀の対決でもあった。地政学の点でいうなら、地政学から世界を眺めえる者が、世界を制してきたといえる。

たとえば、中国を巡る地政学である。現在、中国は膨張戦略に突き進み、アメリカや日本、東南アジア諸国、インドなどが警戒感を隠さなくなってきた。そこから、アメリカや日本が主導しはじめたのは、中国包囲網である。

けれども、中国包囲網は、21世紀に初めて生まれたわけではない。中国大陸包囲網を初めてつくり、大成功させたのは、17世紀の中国大陸を支配した清帝国である。

清帝国というと、中国最後の王朝のようにいわれるが、漢族の王朝ではない。漢族と長く対立してきた満洲（現在の中国東北部）の勢力による帝国だ。彼らは中国大陸に侵攻し、中国大陸を支配し、中国大陸を押さえ込みにかかった。

このとき、清の皇帝たちが採った戦略が、中国大陸包囲網である。つまり、満洲、モンゴル高原、東トルキスタン（新疆）、チベットによる鉄のラインを形成し、中国大陸を内に押し込めるというものだ。

満洲、モンゴル、東トルキスタン、チベットは、中国王朝固有の領土ではない。満洲はともかく、モンゴル、東トルキスタン、チベットは、中国大陸出自の王朝にほとんど支配されたことがない。彼らには、中華思想を奉じる中国大陸の王朝からつねに夷狄（いてき）、蛮族扱いされてきた歴史がある。そのため彼らは、長く中華思想をもつ中国大陸王朝と対立し、中国大陸の王朝から自由であろうとした。

満洲族の清帝国の皇帝たちは、こうした事情を知っていた。皇帝たちは、モンゴル、東トルキスタン、チベットを直接統治することなく、清帝国の「藩部（はんぶ）」として、自治を任せた。いわば、モンゴル、東トルキスタン、チベットは同盟者であった。皇帝たちは中国大陸と満洲のみを直接統治し、中華を圧し、満洲、モンゴル、東トルキスタン、チベットのラインによって、中華を封じ込めてしまったのである。

この中華封じ込めはおよそ2世紀近く機能し、東アジアには「満洲族による平和」があったといっていい。しかしながら、中国大陸の住人は、逆襲に出る。20世紀初頭、清崩壊ののち、漢族は中国大陸包囲網を形成してきた満洲、南モンゴル、東トルキスタン、チベットへの浸透と吸収を図っていったのだ。すでに巨大な清帝国の版図（はんと）として一体にされていたこともあり、中国大陸の住人はこれらの土地を欲した。満洲、南モンゴル、東トルキスタン、チベットは各個に中国大陸の政権に切り取られ、中国の省、自治区と化したのだ。

現在、中国の共産党政権は、とくに南モンゴル（内蒙古）、東トルキスタン（新疆）、チベットの住民に過酷な弾圧で臨み、中国化を推し進めている。その中国化が完成したとき、満洲、南モンゴル、東トルキスタン、チベットは中国を守るぶ厚い盾と化すだろう。

現代中国は、かつての中華包囲網を突き崩し、これを中華の盾に変えるというじつに大胆な戦略に出ていたのだ。現代中国もまた、地政学に知悉していたということになる。

この事例のように、その国の置かれた地政学的な環境は、知謀しだいで強みにもなれば弱みにもなる。さらに、時代の変化によって、地政学的な地位も変わってくる。かつてはほとんど無視されてきた台湾が、近年、地政学的な地位を上げてきたようにだ。

この本では、地政学的な視点から世界史、とくに近現代史を追いかけていく。現在の世界の紛争と対立も、多くは地政学的な事情に由来する。地政学的な視点からアプローチするなら、まったく新しい世界も見えてくるだろう。また、日本をいかに守ればいいか、その知略も出てくる。

内藤博文

地政学で読む近現代史／目次

1章 中国大陸の地政学

統一中国は、なぜ膨張政策を進めるのか？

2章 日本周辺国の地政学
東シナ海で中国は何を狙っているのか?

3章 アメリカ・太平洋の地政学

アメリカがいま、中国の封じ込めを開始した理由

4章 ヨーロッパ・ロシアの地政学

イギリスは何を求めてEU離脱を決断したのか?

5章 中東・アフリカの地政学

宗教対立だけではない、中東不安定化の要因

6章 インド・東南アジアの地政学

インドと中国は、なぜ対立するようになったのか？

装幀◉こやまたかこ
地図版作成◉新井トレス研究所

1章

中国大陸の地政学

統一中国は、なぜ膨張政策を進めるのか？

統一中国の膨張政策の歴史

●共産化後、領土を倍増させた中国

中国共産党による中華人民共和国は、20世紀にもっとも領土を増やした国家といっていい。満洲（中国東北部）、南モンゴル（内蒙古）、東トルキスタン（新疆）、チベットを領土に組み込み、中国大陸出自の政権としては史上最大の版図の獲得に成功している。これだけでは飽き足らず、インドからも一部の土地を奪ったうえ、台湾の領有にもこだわりつづけている。

中国が現在領有している満洲、南モンゴル、新疆、チベットは、いずれも中国大陸の政権の固有の領土とはいいがたい。満洲を除いては、中国大陸出自の漢族政権の領地となったことはない。いずれの土地も、中国大陸とは異なる文化を育み、漢字とは異なる固有の文字さえも有し、独自の歴史を歩んでいた。満洲族による清帝国の時代、南モンゴル、新疆、チベットは版図に組み込まれていたとはいえ、直接統治されることはなかったから、独立国と見なしえた。その独立地帯を、現代中国は吸収していったのだ。

中国の版図

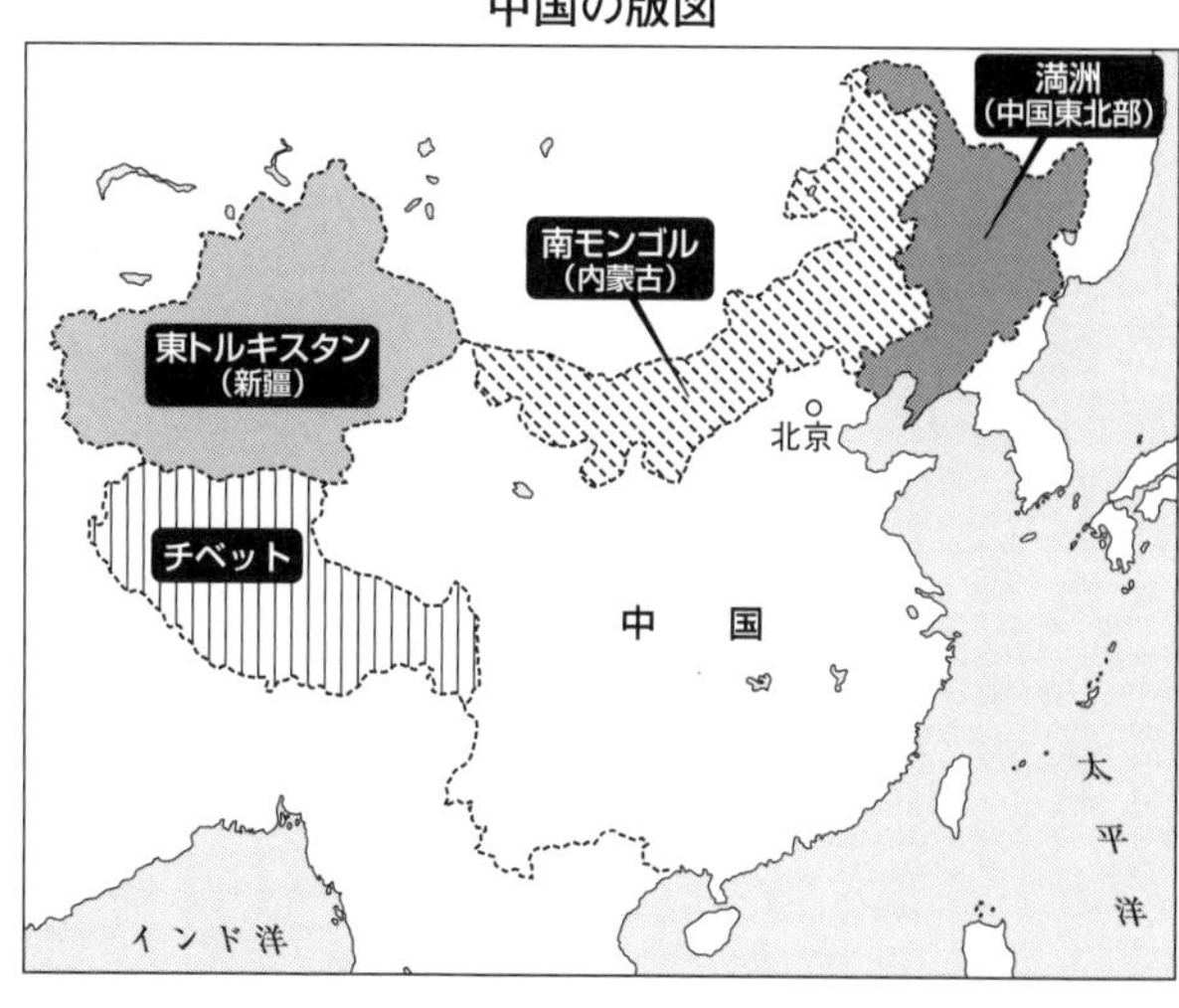

それは、20世紀のなかでは画期的な拡大である。20世紀に版図を拡大させた大国は、ほかにはない。むしろ、縮小させてしまっている。世界最大の国家・ロシアの場合、ソ連の崩壊に伴い、ウクライナやベラルーシ、バルト三国、カザフスタン、ウズベキスタンなどを失ってしまい、領土を減らしている。

中国は、その逆だ。現在の中国の面積はおよそ960万平方キロ（実効支配をしていない台湾を含む）。このうち、旧満洲を構成する東北3省、内蒙古、新疆、チベットの総面積は469万平方キロ。つまり、共産党の中国は、中国の面積をじつに2倍近くに拡大させているのだ。

ほかに、チベットの東にある青海（せいかい）省や、新疆と陝西省を結ぶ甘粛省なども、歴史的に見れば中国大陸政権の固有の領土とはいいがたい面がある。そこで469万平方キロに、このふたつの地域を合わせると、その面積は、580万平方キロ。つまり、現在の中国の領土のおよそ6割は、新たに獲得していった土地となる。中国王朝が代々、支配していた土地は、現在の中国の4割以下にすぎないのだ。

共産党の中国が膨張政策をつづけ、領地を獲得しえたのは、恐怖心によるものだ。中国大陸には、大河や山脈などの自然国境がない。ゆえに、国の中心からわずかでも国境線を遠くに置きたい。恐怖ゆえの「縦深戦略」が、中国の指導者を規定・呪縛し、とめどない膨張に走らせたのだ。

中国大陸北方には、ゴビ砂漠、モンゴル高原が広がるが、ゴビ砂漠は自然国境にはならない。古くから、モンゴル高原の騎兵たちはゴビ砂漠を越え、中国大陸に南下し、歴代中国王朝を揺るがしてきた。

中国大陸の西方にもまた、自然国境はなく、西方の勢力から歴代中国王朝は圧迫を受けもした。たしかに東には東シナ海、南シナ海があり、ひところまで自然国境としての機能しつづけてきた。けれども、19世紀、ヨーロッパの動力船が中国大陸沿岸を遊弋するに及んで、東シナ海、南シナ海は自然国境の役割を果たしえなくなっていった。

中国大陸には黄河、長江という、自然国境になりそうな大河がある。けれども、黄河、長江は一時的に自然国境になっても、完全にはなりきれない。長江の守りが破れたなら、もう止める砦はないのだ。

自然国境をもたない国という点では、じつはロシアも同じである。ロシアも、モスクワからできるだけ遠い国境線を獲得するため、版図の拡大をつづけてきた。それがソ連の時代になって疲弊の原因にもなり、ソ連崩壊とともに版図の少なからずの独立を認めざるをえなかった。中国はいまのところ、新たな獲得地の住人を強制的に押さえつけることによって、膨張を維持している。

中国にとって、満洲、南モンゴル、新疆、チベットを保持することは、国境線を中央からできるだけ遠くに置く、縦深戦略の要であったのだ。

●冷戦下の地政学的地位を利用し、膨張を黙認させていた中国

中国の膨張戦略がうまくいったのは、ひとつには中国が自らの地政学的な地位を知り、これをたくみに活用したからだ。

１９４９年、共産党の中国が建国して以来、しばらく中国はソ連の同盟国であり、ソ連の仲間と見なされてきた。１９６０年代、アメリカがベトナム戦争に敗れていく過程で、

ユーラシア大陸の東ではソ連、北朝鮮、中国、ベトナムという鉄の共産主義ラインが形成されていた。

これに対して、アメリカが採った戦略は、鉄の共産主義ラインからの中国の引き剝がしである。ソ連が健在であった1980年代まで中国は、東は満洲方面、西は東トルキスタン方面でソ連と国境線を接してきた。中ソは国境線を接していることもあって、潜在的な敵対国でもある。アメリカは中国のソ連に対する地政学的な地位に目をつけ、1970年代を通じ、中国に接近し、つづいて日本も中国に接近した。

中国が反ソ連姿勢を明らかにするなら、中国は西側世界の大きな盾になる。ユーラシア大陸の東では、日本や韓国を守るパワーになるだろうし、ユーラシア大陸の西では西ヨーロッパへのソ連の圧力を下げてくれるだろう。そうした思惑があったから、アメリカや日本は中国を支援した。支援によって中国が経済発展し、民主化を果たすなら、中国を完全に味方に引き寄せられると考えたのだ。

中国はこのアメリカ、日本の思惑にのっかり、経済発展を遂げ、これを膨張のエネルギーとしたのだ。中国がソ連と対しているかぎり、アメリカも日本も中国の暴力的な膨張主義にまで注意を払わない。南モンゴルやチベットでいかに凶悪な弾圧をつづけても、実態を深く知ろうとせず、黙認をつづけていた。南シナ海のスプラトリー（南沙）諸島を暴力的な形で奪い取りはじめても、目くじらを立てることがなかった。

中国は自らの置かれた地政学的な立場にアメリカや日本を引きつけることで、その暴力的な膨張戦略をカムフラージュしつづけてきた。中国の膨張戦略を日本やアメリカが危険と認識しはじめるのは、1991年のソ連の消滅を経てしばらくしてのちのことだ。そのときには、もはや後戻りはできなくなっていたのだ。

●なぜ中華思想による地政学は、他国の文化・歴史を消していくのか？

中国の膨張戦略についてもうひとつ加えるなら、中国固有の地政学に則ったものでもあろう。それは、「中華思想による地政学」といってもいい。

古来、中国は自らを世界の中心、つまり中華と見なしてきた。中華の外にあるのは、北狄、東夷、南蛮、西戎という、文明を知らない野蛮な夷狄たちである。中華である中国に課せられた使命は、野蛮な夷狄たちに文明を教え、教化することである。教化とはつまり中国化することであり、中国を絶対なる親のように崇めることだ。

中国にはいまだ儒教的な思考が残り、臣は君に絶対に従わねばならず、子も親に服従しなければならない。この儒学思想が、中華思想による地政学に影響を及ぼしている。

その中国のあり方は、かつては朝貢・冊封システムとして機能した。中国周辺の君主たちは中国王朝に朝貢し、中華皇帝に冊封されることで初めて「王」としてふるまえた。その世界に、皇帝を名乗るのは中華皇帝のみである。

現代の中国共産党にも、そうした中華意識は残っている。中国は、東アジア、東南アジア、中央アジアを従えたい。それは天から与えられた使命のようなものなのだ。

現在、南モンゴル、チベット、東トルキスタンでは、中国共産党政府は現地の文化や宗教、言語を奪い取りにかかっている。これこそ中国化、教化の世界であり、中国の中華地政学に基づくものだといえまいか。

新疆ウイグル自治区の中国化を強行する背景

●通商ルートとなる回廊地域にあり、中国を圧してきた東トルキスタン

新疆ウイグル自治区といえば、現在、中国共産党政府によってウイグル人の民族浄化（エスニック・クレンジング）がなされている地である。多くの先進国は見て見ぬふりをしているが、新疆では、ウイグル人の文化、さらには彼らの血さえも抹殺されつつある。中国は膨張戦略を進めるため、新疆の徹底的な中国化を謀っているのだ。

新疆は東トルキスタンといわれる地であり、かつては中国大陸の住人からは西域とも呼ばれた。モンゴル高原とチベット高原に挟まれた広大な回廊地域であり、中央にはタクラマカン砂漠が広がる。通商ルートになりこそすれ、諸勢力が乱立し、統一のむずかしい地である。

中国大陸の王朝が、東トルキスタン全土を支配したことはない。紀元前に前漢帝国が、モンゴル高原の匈奴に対抗するため、東トルキスタンのタリム盆地まで進出できた程度である。その進出も、やがては瓦解する。

唐帝国や明帝国の時代でも、敦煌からわずかに西に侵攻するのがせいぜいであった。敦煌は、現在の行政域では甘粛省に属していて、新疆には達していないから、東トルスキタンの制圧は夢のような話であった。東トルキスタンは、中国の中心から遠いうえ、農業には向かなかった。ゆえに、中国の歴代王朝はここを押さえ込めなかったのだ。

そればかりか、東トルキスタンを制した勢力は、中国大陸を脅かしもした。6世紀には、トルコ系の突厥が東トルキスタンで台頭する。突厥はモンゴル高原とジュンガル盆地の間にあるアルタイ山脈を根拠地として、東西に進出する。アルタイ山脈には鉄鉱石があり、そこから精錬した鉄が彼らの力の源泉となった。彼らは西ではササン朝と結んで、エフタル（白フン）を滅ぼし、東ではモンゴル高原の柔然を滅ぼした。さらには華北を支配する北魏に圧力をかけ、隋・唐帝国の脅威ともなってきた。

その後、突厥が内紛により分裂して力を弱めていったとき、代わって東トルキスタンの支配者となるのはウイグル（現在の「新疆ウイグル自治区」のウイグル人とは無関係）だ。ウイグルもまたモンゴル高原を制し、唐帝国を圧迫する。8世紀、中国大陸で安史の乱が起きたとき、窮した唐はウイグルに軍事支援を仰がねばならなかった。乱はウイグル兵によって平定されていき、中国はウイグルの属国も同然となっていた。

その後、東トルキスタンはモンゴル帝国に占領され、その分裂国のひとつであるチャガタイ・ハン国の一部ともなる。この時代以降、東トルキスタンでは、イスラム化が進み、この点でも、中国大陸とは別の文化をもつに至っている。

このように、東トルキスタンを中国の王朝が制することはむずかしく、逆に東トルキスタンは中国大陸の政権にとって脅威でありつづけた。東トルキスタンは、モンゴル高原とチベット高原を結ぶ地でもある。モンゴル高原、チベットは、長く中国大陸への刃でありつづけた。そこに東トルキスタンが結びついたとき、中国は北方、西方から強い圧力を受けることになる。ゆえに、歴代中国王朝は東トルキスタンの制圧を欲しもしていたが、気の遠くなるような話であった。

●なぜ中国は、東トルキスタンの独立をゆるさないのか？

中国王朝が征服できなかった東トルキスタンを制圧してみせたのは、清帝国である。満洲に勃興(ぼっこう)した清帝国は、17世紀に中国大陸を制覇し、モンゴル高原から満洲、中国大陸にかけての大帝国を築く。

このとき、清帝国に対抗したのが、モンゴル高原の西にあったジュンガル部だ。ジュンガル部は、東トルキスタンを支配し、チベットの支配にまで乗り出したが、これをゆるさなかったのが清の皇帝たちである。後述するように、清の康熙帝(こうきてい)はチベット仏教の保護者となり、彼につづく皇帝たちもチベット仏教の保護者を自認した。彼らはチベットの脅威となったジュンガル部と戦い、乾隆帝(けんりゅう)の時代に、ジュンガル部を討ち滅ぼし、東トルキスタンを平定した。このとき、東トルキスタンを「新しい土地」という意味の「新疆」と名付けている。

新疆は、チベットやモンゴルと同じく、清帝国が直接支配することがない「藩部」となった。新疆のイスラム文化は尊重されもした。

けれども、19世紀後半から新疆の地位と中国大陸との関係に変化が生まれていく。ひとつの契機となったのは、１８５１年にはじまった中国大陸における太平天国の建国と内戦である。洪秀全率いる太平天国は各地で清軍を打ち破り、一時は清を滅ぼし、中国大陸の覇権を奪いそうな勢いであった。「滅満興漢」をうたった太平天国は、漢族による民族運動の様相も呈していて、これは清の藩部を動揺させていた。

この時代に、東トルキスタンではムスリムたちが漢族と衝突のすえ、蜂起をはじめる。カシュガルではイスラム王国が建国され、東トルキスタンは清から離反し、独立するかに見えた。

このとき、清の漢族将軍・左宗棠が、東トルキスタンに侵攻、イスラム勢力を征討している。左宗棠の進言を受け入れた清の宮廷は、新疆の支配を間接型から直接統治に変換する。新疆は新疆省となり、中国化がはじまろうとしたのだ。

そこには、清の大帝国を維持しなければならない意図があった。かりに新疆が清から離反するなら、新疆と接するモンゴルやチベットも離反に動くだろう。新疆はモンゴルとチベットをつなぐ要の地政学的な地位にある。新疆を失うなら、清は連鎖的に大きな版図を失うことになる。その危惧から、新疆は中国のひとつの省とさせられ、中国化への布石が打たれたといえる。

20世紀初頭、清帝国が消滅、中華民国が誕生した時代、東トルキスタンの地政学的な地位は変化する。その地政学的な地位は、東トルキスタンの独立を困難にもした。

20世紀、東トルキスタンの北方にあったのは、大国ロシア（ソ連）である。ロシアは東トルキスタンの吸収を狙い、その一方、中国も東トルキスタンを欲した。東トルキスタンは、ロシアと中国が睨(にら)み合う土地となり、独立はゆるされないような状況にあった。

ロシアとの鍔(つば)迫(ぜ)り合いを制して、東トルキスタンを手中にしたのは中国のほうだった。中国のほうがロシアよりも切実であったからだ。かりに東トルキスタンをロシアが手にするなら、中国は満洲、東トルキスタンという東西でロシアと向き合わねばならなくなる。

しかも、ロシアが東トルキスタンを根拠にしてチベットにまで手を伸ばすなら、中国はロシアの包囲網下に置かれてしまう。これを回避するには、巨大な東トルキスタンを自国の領土とし、ここをロシア、さらには中央アジアの勢力相手の盾とするしかない。

広大な新疆は、中国の版図のおよそ6分の1を占める。この広大な土地をひとつの緩(かん)衝(しょう)地帯とすることで、中国の安全保障は高まる。中国はそう考え、新疆を確保したのみならず、中国化を強行してきたのだ。

現在、新疆にあって中国政府はウイグル人のムスリムたちを平然と弾圧している。中国はモスクを破壊し、再教育施設にウイグル人を強制的に押し込み、施設内で彼らの精神を改造しようとしている。つまり、アラーの神を捨て、中国人になりきることの強制だ。それを拒む者が、生きて再教育施設から出ることはまずない。ウイグル人の女性は漢族の男たちと結婚させられるから、ウイグル人の血はしだいに薄まっていく。

中国政府の非道は、ムスリムこそが新疆の中国化を拒む最大の勢力と知ったうえでのことだ。そもそも、共産党は神を認めない。加えて、新疆の西には、多くのイスラム諸国がある。イスラム諸国、さらには過激なイスラム組織が新疆のムスリムたちを守ろうとしたとき、彼らは新疆に浸透しかねない。それを阻むためにも、中国は新疆からイスラム教を抹殺しようとしているのだ。

●ウイグル人圧迫と「一帯一路」構想の関係とは?

中国が新疆を完全管理下に置きたいのは、自らの「一帯一路」構想に欠かせない要衝(ようしょう)だからでもある。

「一帯一路」計画とは、現代のシルクロード計画である。中国は自国からロシアやヨーロッパにかけて巨大な通商地帯を形成し、その盟主としてユーラシアを制覇したい。

中国の一帯一路構想

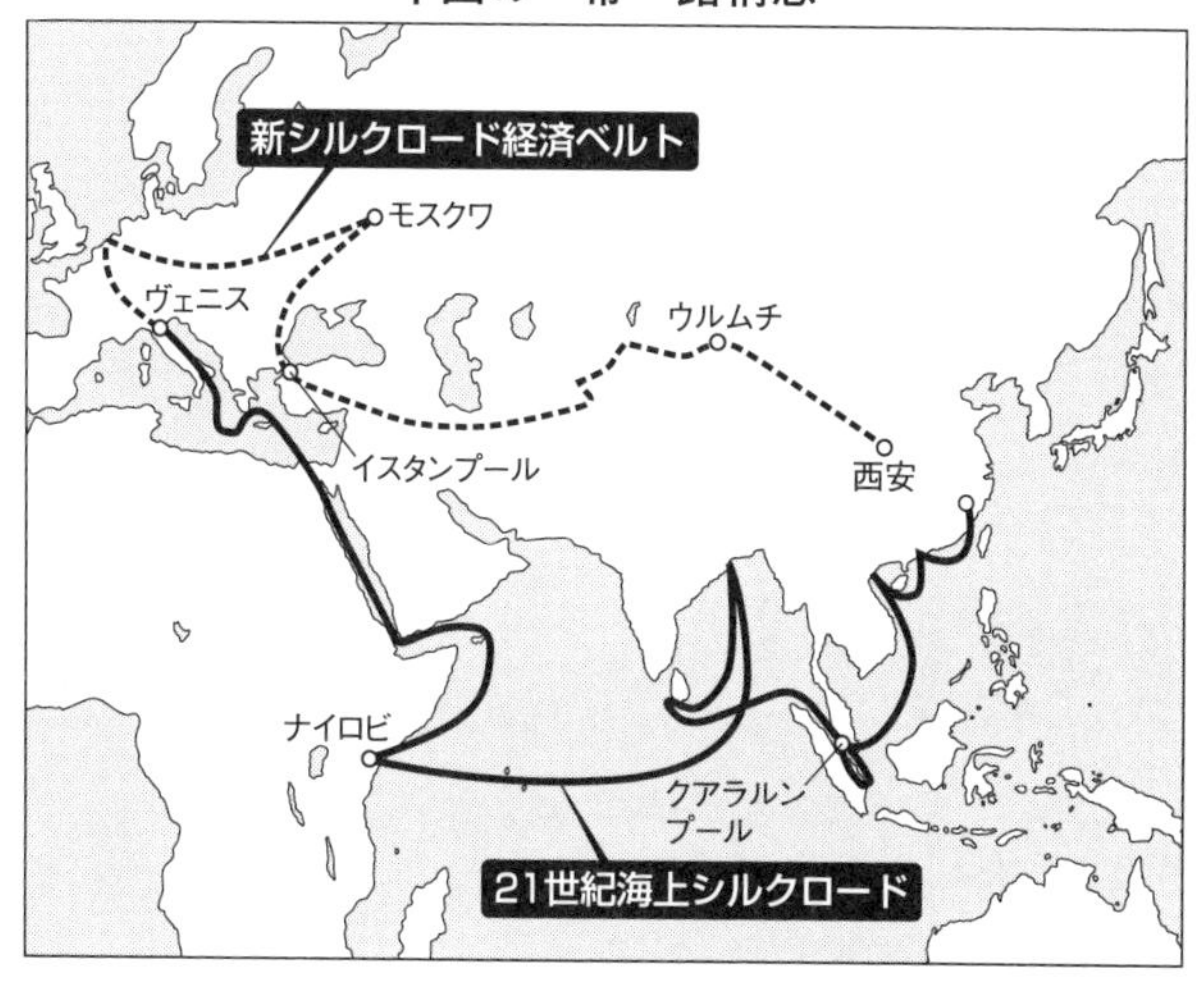

すでに中国はヨーロッパ各国の港湾を買収さえもしているし、各国の政治家を中国寄りに引きつけている。「一帯一路」が完成するなら、中国のヨーロッパにおける浸透はより強烈となる。それは、かつてのモンゴル帝国の再現でもあり、じつは中国はモンゴル帝国の果たせなかった一大帝国を目指しているといってもいい。

それは、中国による世界改変である。ヨーロッパまでもが中国の地政学的な管理下に置かれるなら、大国アメリカは孤立し、連携相手を失う。中国は、アメリカの時代を終わらせ、世界の盟主の座も得られるのだ。

古代のシルクロードの要は、中央アジアである。その中央アジアにも位置する東トルキスタンは、シルクロードの安定に欠かせなかった。現代にあっても同じであり、中国は新疆を力ずくで安定させることで、「一帯一路」を完成へと向かわせたいのだ。

もうひとつ、新疆は中国のエネルギー戦略のパイプラインとなっている。中国は、現在、カザフスタンやトルクメニスタンなど中央アジア諸国の石油資源、天然ガスに依存しはじめている。その中央アジアからのエネルギー資源を中国に運ぶのに、新疆はなくてはならないのだ。

現在、新疆では漢族の移住が進んでいる。ウイグル人をマイノリティにまで落とすことによっても、新疆の中国化、残忍なる安定化が図られている。

中国は、新疆の完全な中国化のために、中央アジア諸国に対しても攻勢を仕掛けている。新疆は西の国境で、カザフスタン、キルギス、タジキスタンなどと接している。中国はこの中央アジアの国家にも侵食をはじめている。

中国はカザフスタンやキルギスに対しては、歴史的に中国の属国だったと主張しはじめている。タジキスタンに対しては、その東部に広がるパミール高原を中国固有の領土であったと主張、タジキスタン領内に軍事施設を築きはじめもしている。こうして中国の領土が新疆よりも西に広がりでもしようものなら、新疆は西の国境線を失い、中国化をますます阻(はば)めなくなるのだ。

チベットの制圧・中国化に固執する中国

●なぜ歴代の中国大陸王朝は、チベットに苦しめられてきたのか？

中国共産党が現在、新疆ウイグル自治区とともに、執拗(しつよう)に中国化を進めている地域のひとつがチベットである。

チベットではもともとチベット仏教（ラマ教）が信仰され、チベット仏教の最高指導者ダライ・ラマこそが国の中心にあった。中国共産党がチベット支配に乗り出したとき、そのチベット支配の根底にあったのは、チベット仏教の破壊にあった。中国によるチベット仏教の弾圧、破壊によって、ダライ・ラマ14世はインドへ亡命を余儀なくされ、チベットは指導者を失ったも同然の状態がつづいている。

中国共産党政府がチベットの住人を抹殺してまで、チベットの中国化を強行しているのは、チベットが中国の弱点であると認識しているからだ。中国はチベットを中国の弱点ではなく、強い盾につくり変えたいのだ。

じつのところ、チベットは長く中国王朝にとってはその脇腹を抉りかねない刃でありつづけてきた。チベット高原は、平均して海抜4000メートルの高地にある。とくに北方の崑崙山脈は大きな盾であった。ゆえに、チベット高原は天然の要害も同然であり、平原の住人にとってチベットの攻略は困難を極めた。一方、チベット側からはいくらでも平原へと攻め込めた。チベットは守りが堅いうえに、好きなときに攻勢を仕掛けられる地政学的な地位にあったといえる。

チベットが強大になるのは、7～9世紀、吐蕃の時代である。ソンツェン・ガンポの建国による吐蕃は強盛を誇り、しばしば中国大陸の唐帝国の領内へと侵攻を繰り返した。8世紀、安史の乱を経て、唐が弱体化していったとき、吐蕃の軍勢は唐の領内深くに侵攻、一時的に都の長安を占領したほどだ。

唐帝国は、吐蕃を制裁できないままであった。チベット高原に侵攻しようにも、チベット高原はあまりに大きな壁であり、手をこまぬくしかなかった。

吐蕃に対して劣勢の唐帝国は、吐蕃に対して懐柔外交をとった。それが、「和蕃公主」となる。つまりは、国内の美女、それも帝室とつながる美女を吐蕃に差し出して、機嫌をとるよりほかなかった。

チベットの唐帝国への攻勢は、日本史にも影響を与えている。663年、日本は朝鮮半島の白村江の戦いで、唐・新羅連合軍に敗れ、朝鮮半島から叩き出されている。その後、唐軍の日本列島上陸も予想され、朝廷は九州の防衛を急務とした。けれども、唐軍が日本列島に向かうことはなかった。吐蕃との緊張のため、日本どころではなかったのだ。

このように、チベット高原は、中国大陸の王朝にとって攻めがたい地政学的な地位にあった。しかも、一方的に攻めてくる。中国にとっては脇腹を抉る厄介な切っ先であり、ここを中国化しないことには、中国の指導者は安心して眠れないのだ。

●インドと戦ってまで、チベットを手中にしたかった毛沢東

長く難攻不落を誇ってきたチベット高原だが、じつは何度か外部勢力に占領されている。13世紀、モンゴル帝国がユーラシア世界に急拡大をつづけた時代、チベット高原もモンゴルの騎兵に占領され、モンゴル帝国の統治を受けている。

その後、17世紀後半、モンゴル高原のジュンガル部がガルダン・ハンのもと強大になると、チベットに侵攻する。これに対して、ガルダンを掣肘しようとした清帝国の康熙帝もまたチベットに軍を送り、ジュンガル部を撃退、チベットを保護している。

難攻不落に見えたチベット高原だが、同じ高原育ちであるモンゴルの騎兵には、占領は

可能だった。同じく満洲を出自とする清帝国の騎兵にも、侵攻は不可能ではなかった。

ただ、清の康熙帝やその後継者らは、チベットを直接統治はしなかった。康熙帝はチベット仏教の保護者であろうとし、清の皇帝はチベット仏教を保護する「文殊菩薩皇帝」でなければならないとした。つづく雍正帝も熱心なチベット仏教信者であり、清にとってチベットは保護の対象であり、チベットを「藩部」として大々的な自治を認めた。「藩部」は、清の版図でありながら、清にとっての同盟者という位置にあった。

この時点まで、中国大陸に出自をもつ王朝がチベットを領有したことはない。あくまで占領はモンゴルや満洲の勢力が達成してきたものにすぎない。にもかかわらず、20世紀初頭、清帝国崩壊ののち、漢族中心の中華民国はチベットを自国の固有領土と見なしはじめた。以後、中華民国はチベットの間ではたびたび紛争が起きた。

1949年、毛沢東率いる共産党が中国を統一したのちも、中国の漢族のチベットに対する意識は変わらない。毛沢東は建国の翌年である1950年に軍を送り込み、チベットを制圧する。難攻不落のチベット高原も、近代火力の前には屈するよりほかなかったし、中国はモンゴル人の騎兵たちを利用し、高原を攻めていたのだ。これに対して、チベットの住人は1959年に大規模蜂起し、以後もたびたび蜂起をつづけたが、中国政府は弾圧をもってこれに臨んでいる。

20世紀の中国がことさらにチベットの中国化に執拗(しつよう)なのは、チベットがイギリスやインドの勢力とつながりかねないからだ。20世紀前半、インドを統治したのはイギリスである。イギリスは、チベットからの中国への浸透も考えていた。

その後、インドがイギリスからの独立を果たしたとき、当初、中国とインドは蜜月にあるかのように見えた。けれども、毛沢東はインドのチベットへの浸透を恐れた。チベットがインド化するなら、チベットは中国の脇腹を突き刺す匕首(あいくち)になりかねない。毛沢東の中国は、チベット仏教を滅ぼしてでも、チベットの中国化を進めようとしてきたのだ。

毛沢東は、インドとの戦争も覚悟のうえだった。中国のチベット支配によって、ダライ・ラマ14世はインドへと亡命した。インドはダライ・ラマ14世を保護し、ダライ・ラマ14世のチベット復帰を支援した。もし、インドの手によってダライ・ラマ14世の復帰が実現したなら、チベットはインド寄りになりかねない。そこから、1962年、中印紛争が勃発(ぼっぱつ)する。

中印紛争に中国は勝利したものの、中国とインドの関係は完全に悪化した。ヒマラヤ山脈を挟んで、インドは中国に敵対しつつ、ソ連とも結び、中国包囲網を形成もした。毛沢東の中国は、そうした苦境に瀕しながらも、チベットを手放すことはなかったのだ。

２００６年、中国はチベットの都・ラサまでの鉄道を開通させている。これにより、中国はすみやかに軍や漢族の住人を送り込みやすくなり、チベットの完全吸収が進みはじめている。いまや、崑崙山脈もチベット高原も、チベットの盾とはならなくなってしまっているのだ。中国は、漢族のチベット移住を進めていて、いまやチベットでは漢族が多数派を形成しようとさえしている。

中国は、チベットの完全な中国化のために、チベットに接するインドに対しても手を打っている。中国はインド領であるアルナチャル・プラデーシュを「南チベット」と位置づけ、自国の領土と主張しはじめている。

中国の「南チベット」論にはさしたる根拠もないのだが、中国がこうしてチベットの南までも中国領と主張するなら、チベットは国境を失っていく。それは、チベットが完全に中国に組み込まれ、中国化することにもつながるのだ。

中国がチベットを手離さないのには、もうひとつの地政学な大きな理由がある。じつはチベットには、黄河、長江はもちろん、ガンジス川、インダス川、メコン川といったアジアの大河の水源が集中しているからだ。

中国がチベットを統治し、大河の源流を握れば、中国は水資源を東南アジア、インドに対する武器にできる。中国がチベットでの水の流れを変えてしまえば、東南アジアやインドは水で窮することにもなる。中国とインドの国境紛争は、水問題も絡んでいるのだ。

南モンゴルの中国化を早くから進めてきた中国

●なぜモンゴルは、中国大陸に恐怖の記憶を植え付けたのか?

20世紀、漢族中心の中国が膨張していく時代、もっとも早くから中国化を進めてきたのは、内蒙古自治区、つまり南モンゴルだ。

南モンゴルは、モンゴル高原の一部であり、現在のモンゴル国の南に位置する。モンゴル国は、北モンゴル（外蒙古）に当たる。南モンゴルと北モンゴルとかつては一体であり、ともにモンゴル高原の勢力として、中国に対する最強の刃でありつづけてきた。そのモンゴル高原が長く中国大陸と対する最強の天敵でありつづけたのは、モンゴル高原の地政学的な事情による。モンゴル高原の間にはゴビ砂漠が横たわるが、ゴビ砂漠は中国大陸側にとっては自然国境になりがたい。一方、ゴビ砂漠はモンゴル高原側からすれば、中国大陸に対する天然国境として機能しつづけてきた。あとで詳しく説明するように、ゴビ砂漠は大軍で移動する歩兵の侵攻に対する障害にはなりえても、高速で移動する騎兵の行軍の前には大きな障害とはならないのだ。

そのため、中国はモンゴル高原の勢力に攻められっぱなしとなった。モンゴル高原で最初に強大化したのは匈奴(きょうど)である。古代にあって、秦(しん)の始皇帝は匈奴の侵攻に対して、万里の長城で備えたが、人工国境・万里の長城は機能せず、長城はしばしば抜かれた。漢帝国の創始者・劉邦(りゅうほう)(漢の高祖)は、匈奴の軍に大敗し、這(ほ)う這うの体(てい)で引き下がらざるをえなかった。

4世紀、中国大陸で晋(しん)が南匈奴(みなみきょうど)によって滅ぼされると、華北はモンゴル高原の勢力の蹂躙(じゅうりん)するところとなる。5世紀にはモンゴル高原から南下した鮮卑(せんぴ)によって、華北には彼らの王国・北魏(ほくぎ)も建てられている。こののち、6世紀後半、隋(ずい)によって中国は再統一を果たし、唐帝国の時代の繁栄に向かうが、隋・唐の帝室は、もともとはモンゴル高原からの侵攻に備えた北辺の武人たちであった。彼らは、現地に長くあることで半ば「モンゴル化」し、つまり強い武人化することで、中国大陸を制したのだ。

13世紀、チンギス・ハンのモンゴル帝国が登場すると、中国大陸にあった南宋を滅ぼしてしまう。モンゴル人たちは、中国大陸の統治さえもはじめた。

14世紀、モンゴル人の勢力は明帝国によって中国大陸から追われるが、そののちも恐ろしい北の脅威でありつづけた。1449年、土木堡（どぼくほ）の戦いでは明の皇帝・英宗（えいそう）正統帝がモンゴルのオイラト部のエセン・ハンの捕虜になるという憂（う）き目も見ている。

モンゴルの前に守勢となった明帝国が本気になって取りかかったのは、万里の長城という人工国境の再構築であった。明は万里の長城を強化し、これが現在に残る万里の長城となる。

人工国境「万里の長城」は、17世紀前半は機能していた。この時代、東アジアで強大化していたのは、満洲に勃興した清（後金（こうきん））帝国だ。清は中国大陸の制覇を狙って、万里の長城の東端・山海関（さんかいかん）を攻撃したが、攻略できないままだった。やむなく、彼らはモンゴル高原から迂回（うかい）して、中国大陸に攻め入ろうとし、その過程で南モンゴルのチャハル部を服属させた。明の歩兵では攻略できなかったモンゴル高原も、満洲の騎兵集団なら制覇可能だったのだ。

けれども、モンゴル方面からであっても、万里の長城の守りは堅く、清は明に攻め込めないままであった。清帝国が中国大陸に侵攻、制覇するのは、明の自壊により、山海関が開いてくれたおかげである。山海関が機能しなくなったとき、もう満洲の清軍の中国大陸流入を止める手立てはなかったのだ。

逆に見れば、モンゴル高原とゴビ砂漠は、モンゴル高原にある遊牧民族にとっては天然の要害に等しかった。南の中国大陸相手に、侵攻される危険はほとんどなかったのだ。

大規模な歩兵集団によるモンゴル高原征服は、じつにむずかしい。途中のゴビ砂漠では食糧を調達できないため、中国本国から食糧を輸送するしかない。食糧・武器を運ぶのは馬の役割となるが、馬の飼料も必要だ。となると、大がかりな兵站(へいたん)が必要となり、国庫を傾けかねない。

たしかに、過去に中国大陸からモンゴル高原への攻撃はあるにはあった。漢の武帝や唐の太宗、明の永楽帝らが攻撃者となっているが、長つづきはしない。彼らとてモンゴル騎兵に局地戦闘で勝利をおさめても、モンゴル高原奥深くへの侵攻はできなかった。モンゴル高原の征服など、夢のまた夢であったのだ。

モンゴル高原と中国大陸の関係は、モンゴルの一方的な攻勢の時代が長くつづいた。それが中国大陸の住人には恐怖の記憶として定着し、モンゴル高原の脅威をいかに削(そ)ぐかが課題でありつづけたのだ。

19世紀以後に激変した、モンゴル高原の地政学的な地位

天然の要害としてのモンゴル高原の地位が転落するのは、17世紀のことである。満洲から勃興した清帝国の軍が、モンゴル高原を制覇してしまったからだ。

当時、モンゴル高原の西で強大化していたのが、ジュンガル部である。清の軍はジュンガル部を次々と破り、モンゴル高原の勢力を服属させたのだ。

清軍の主力である満洲族は、モンゴル高原の遊牧民族と同じく、騎兵中心である。騎兵であるかぎり、モンゴル高原の踏破(とうは)は歩兵軍団よりも容易であり、清軍は豊富な火力を武器にしてモンゴルに勝利した。

ただ、清の皇帝たちは、モンゴル高原を直接支配せずに藩部とした。モンゴルは同盟者として扱われることで、清帝国に従うようになったのだ。

そのモンゴル高原の地政学的な地位は、19世紀以降に激変していく。これまで長くモンゴル高原は中国大陸の死命を制する存在ですらあったが、逆に中国大陸の政権とロシア(ソ連)の双方に狙われる地位に変化してしまったのだ。

ひとつには、「満洲族による平和」のなか、軍事的な脅威としてのモンゴル高原は消滅しつつあった。もともと弓騎兵を主力としてきたモンゴルだが、19世紀以降、強力な銃火

器の発達の前には劣勢にならざるをえなかった。加えて、20世紀、航空機やトラックが進化をはじめると、もはや騎兵は時代後れと化してしまったのだ。

さらに、「満洲族による平和」のなか、南モンゴルに漢族の移住がはじまってもいた。清帝国の時代、モンゴルと中国大陸はともに、ひとりの皇帝の下に長く従うという、これまでにない経験をしていた。そのため、両者の国境線はあいまいになっていたのだ。南モンゴルに移住した漢族は農地を耕すようになったから、モンゴル人の遊牧地は減少していった。それは構成人口の変化をもたらし、南モンゴルではしだいに漢族の多くなった土地が生まれるようになったのだ。平和のなか、中国大陸の漢族は南モンゴルへの浸透を果たしていたのだ。

20世紀初頭、清朝が消滅すると、モンゴルは独立に向かおうとした。けれども、モンゴルの地政学的な地位がこれをゆるさなかった。すでにモンゴル高原の北には大国ロシアがあり、南には大国復活を目指す漢族中心の中華民国が生まれていた。ロシアも中華民国もモンゴルの独立をゆるさず、ともにモンゴルを切り取ることで、縦深(じゅうしん)を深めようとしたのである。これにより、モンゴルはふたつに分けられる。

１９２４年、北モンゴルはモンゴル人民革命党によって独立宣言を発し、モンゴル人民共和国となった。独立したとはいえ、その背後にはソ連があった。１９１７年、世界初の共産革命を成したソ連は、自国を防衛するために共産圏の拡大を欲していた。世界で２番目に共産国家となったモンゴル人民共和国は、ソ連の東アジアにおける盾だった。

一方、南モンゴルは１９３０年代に日本の支援を得て、独立に向かう。けれども、１９４０年代、日本が日米戦争に敗北すると、もはや後ろ盾はない。南モンゴルは中国に吸収され、内蒙古自治区として固定されたのだ。

内蒙古では、現在、モンゴル人よりも漢族住人の数のほうが多いと見られている。内蒙古では中国化が進み、モンゴル人に対しても中国語を強制している。南モンゴルのモンゴル人たちがモンゴル語を話せなくなるなら、モンゴル語話者である北モンゴルとの統合もむずかしくなるだろう。中国は、史上初めて北方での領土拡大に成功しつつある。

中国東北部（満洲）が中国の潜在的不安要素である理由

●中国大陸とも対抗しうる「大国」満洲

かつて満洲といわれた中国東北部は、現在、共産党の中国の版図に組み込まれている。

ここには、黒龍江省、吉林省、遼寧省があり、中国政府の直接支配を受けている。

けれども、満洲が永遠に中国大陸の政権に服属しつづける保証はどこにもない。満洲はたしかに中国大陸の政権に従属することもあるが、その一方、中国大陸を服属させることもできる。満洲には、それだけの地政学的なパワーが秘められている。

満洲は、中国大陸と接している「大国」と考えていい。黒龍江省、吉林省、遼寧省を合わせた面積は、およそ80万平方キロ。日本の2倍以上になる。ドイツ、オーストリア、スイス、イタリアを合わせた面積よりも大きい。もしヨーロッパにあるなら、完全な大国の面積だ。ゆえに、中国大陸の王朝にも対抗可能だし、対抗意識さえもが生まれやすい。

満洲と中国大陸の両者を隔てるのは、大興安嶺山脈や南モンゴルの高原である。満洲と中国大陸の通路は、渤海沿いの海岸のみであり、ここを封鎖するなら、両者は分裂してしまう。あるいは、ここを突破すれば、ともに相手への侵攻が可能だ。

実際、満洲にあった勢力は二度も中国大陸を広く制してきている。12世紀前半には、満洲に勃興した金帝国が南下、中国大陸の宋をいったんは滅ぼし、華北を統治した。その華北支配は、およそ1世紀に及んでいる。

金はモンゴル帝国に滅ぼされるが、その後、17世紀になると、またも満洲に勃興した清帝国が中国大陸に侵攻、今度は中国大陸を制覇してしまった。そればかりか、モンゴル、チベット、東トルキスタンまでも従える大帝国を形成している。満洲にはそれだけの力を発揮できる素地があり、その素地はいまなお残っていると考えられる。

●なぜ日本は、満洲国を建国し、中国大陸に侵攻したのか？

満洲が大きな力を秘めるのは、広大な面積から得られる力を周辺地域に投射しやすいからだ。満洲と接しているのは、中国大陸、モンゴル、ロシア、朝鮮半島である。満洲は多くの勢力と接しているだけに、周辺のパワーバランスの影響を受けやすい。あるいは、勢力拡大の震源地にもなりやすいのだ。

満洲の力は、とくに中国大陸、モンゴルに向けられる。中国大陸を二度制覇した満洲族（ジュルチン）のみならず、20世紀には日本がそうなっていた。

１９３１年、日本の関東軍は満洲事変を起こし、日本政府の不拡大方針を無視して、満洲を軍事制圧する。関東軍は清朝最後の皇帝であった溥儀（ふぎ）を満洲国皇帝に据え、満洲を日本の力を背景とした独立国とした。

関東軍が満洲国を建国したのは、満洲の地政学的な地位に動かされてのことだろう。満洲に拠点を置く関東軍は、東京ではなく、満洲を中心に世界を俯瞰（ふかん）し、自らの生き残り戦略を練ったのだ。その先にあったのは、中国大陸やモンゴルへの浸透だ。

自然国境の乏しい大陸国家は、自らの身を守ろうとするため、膨張を求める傾向にある。一方、自然国境に守られた海洋国家は、膨張をさほど求めはしない。日本にしろ、そうは膨張欲求に駆られない。たしかに、日本は日清戦争、日露戦争を戦ってはいる。それは、日本列島への槍となりかねない朝鮮半島をロシア圏にしないための戦いでもあり、膨張欲求による戦争とは断定しがたい。

けれども、日露戦争の勝利によって、日本は満洲の権益まで得てしまった。以後、満洲に拠点を置く関東軍は、満洲の視点で東アジアを見はじめた。1920年代、中国大陸では各地に軍閥が生まれ、勢力争いを繰り広げるようになっていた。関東軍は、こうした軍閥にも関わるようになったから、ますます大陸的な視点で物を見るようになっていた。海洋国家であったはずの日本は、関東軍によって1920年代に半ば大陸国家化しはじめていた。大陸国家としての自存と膨張を求めはじめたのである。

満洲事変への直接のきっかけがあるとするなら、ソ連圏モンゴルの誕生である。すでに述べたように、1924年にソ連は、北モンゴルにモンゴル人民共和国を誕生させ、衛星国家としていた。ソ連がモンゴル人民共和国を策源地として東アジアに勢力拡大を図るなら、ターゲットは南モンゴルと満洲となる。

満洲は、もともと清朝を打ち立てた満洲族の故地でもあるが、1920年代の段階でその帰属はあやふやであった。満洲には漢族による軍閥があり、中華民国の蔣介石（しょうかいせき）は満洲の完全吸収を望んでいた。一方、日本も日露戦争の講和であるポーツマス条約によって、満洲に権益を得ていた。そんな帰趨（きすう）の定まらない満洲にソ連が手を伸ばすなら、満洲をソ連が掌握（しょうあく）しかねない。

これを恐れた関東軍は、満州国を打ち立て、満洲の支配権を確立させ、ソ連の南進を防いだ。さらには、南モンゴルの独立を支援し、南モンゴルから満洲に連なるラインで、ソ連に対抗しようとしたのだ。隣り合う満洲とモンゴルは、つねにライバル関係にあり、歴史上、モンゴルが満洲を制することもあれば、満洲がモンゴルを圧することもあった。満洲の視点で見るなら、モンゴルはつねに重要であり、満洲、南モンゴルは日本軍によって「防共回廊」と位置づけられたのだ。

その行き着く先が、1937年のノモンハン事件となる。ノモンハン事件は、満洲国とモンゴル人民共和国の国境線を争った戦いで、実質は日本軍とソ連軍の戦いであったが、名目上は「日本・満州国連合」対「ソ連・モンゴル連合」の戦いでもあった。日本は満洲を支配したからには、満洲周辺を巡るパワーゲームに積極的に参加するようになり、自制を捨て去っていた。

それはやがて、日中戦争に発展していく。１９３７年にはじまる日中戦争は、中国を率いる蒋介石が望んだ戦いでもあれば、満洲を得た日本の軍部が求めた戦いでもあった。関東軍は、東京を中心にではなく、満洲を中心に世界を見ようとしていた。

そして満洲は中国大陸に対抗できる地位にある。これまでにも満洲にあった満洲族は中国大陸を勢力拡大の視野に入れ、実際、侵攻している。金帝国も清帝国もそうだった。満洲を得た日本の軍人も同じであった。彼らは、中国大陸に野心を有するようになり、日中戦争にはまってしまったのだ。

●なぜソ連は、中国に満洲を明け渡したのか？

１９４５年８月、第２次世界大戦の末期、満洲を制圧したのはソ連軍である。弱体化していた日本軍に、ソ連軍の侵攻を止める手立てはなかった。

満洲を制圧したソ連だが、ここを自国領とすることはなかった。１９４９年、毛沢東によって中華人民共和国が誕生したとき、満洲は中国のものとなっている。

ソ連のスターリンは、お人好(ひとよ)しではない。ソ連の置かれた地政学をよく知り、わずかでも国境線を外に張り出させたいと考えている。そのスターリンが、満洲を中国に譲ったのは、当時の満洲の地政学的な地位をよく知っていたからだ。

この当時、朝鮮半島は南北に分断され、ソ連の後押しする北朝鮮とアメリカの支援する韓国が生まれていた。朝鮮半島は一触即発の危機にあり、北朝鮮と韓国による半島統一戦争がはじまったとき、アメリカ軍は朝鮮半島に大々的に上陸するだろう。アメリカ軍が朝鮮半島を北上するなら、そこは満洲である。スターリンは、満洲でアメリカ軍とソ連軍の激突を嫌った。戦えば、共倒れであり、これを回避するために、満洲を毛沢東の中国に譲ったのである。

スターリンは、満洲での戦いで毛沢東の中国とアメリカがともに疲弊(ひへい)すればいいとでも思っていたようだ。

しかも、スターリンは満洲に保険をかけていた。当時、満洲の実質支配者となっていたのは、中国共産党の幹部・高崗(こうこう)である。

スターリンは、彼を毛沢東よりもはるかに信頼していた。高崗あるかぎり、満洲は一種の独立国家であり、毛沢東の中国がスターリンの意に沿わないのであれば、ソ連・満洲同盟で中国を潰しにかかることもできた。スターリンさえ支援すれば、満洲が中国大陸を呑み込むという事態があってもおかしくなかった。

毛沢東に幸いしたのは、スターリンが1953年に死去したことだ。これにより後ろ盾を失った高崗を粛清し、毛沢東が満洲を回収している。

このように、満洲はいつ中国大陸に牙を向いてもおかしくない地政学的な地位にある。それは今後も変わらず、中国大陸の政権には「爆弾」に等しいのだ。

●中国の首都・北京が、中原から北京へと移った理由

中国の首都・北京は、都としてはかなり北東に偏っている。北京周辺は、かつては僻地のような感すらあった。その北京が首都となったのは、地政学的な事情の変化による。

中国大陸の歴史からすれば、北京の都としての伝統はそうは長くない。古代から中世まで、中国大陸の中心にあったのは、長安や洛陽だ。いずれも、黄河中流域、いわゆる中原に位置し、ゆえに「中原に鹿を追う」という言葉も生まれた。

黄河の中流域に首都がありつづけたのは、北方のモンゴル高原への対抗上だろう。長く中国大陸の最大の脅威であったのは、モンゴルの騎兵集団である。彼らは、黄河の北方湾曲部であるオルドス地方からよく南進する。オルドスからさらに南にあったのが、中原である。中国王朝は、モンゴル勢力の南下に備えるためにも、中原に都を置き、ここを守り

つづけたのである。

騎兵一人と歩兵一人の戦闘力は、極端な場合、10対1程度にも開く。歩兵軍団が騎兵を撥ね除けるには、できるだけ多くの歩兵を密集させられる地で戦うしかない。人口の稠密な中原地域は、モンゴル騎兵の侵攻を食い止めやすい地でもあったのだ。

けれども、10世紀ごろから中国大陸を取り巻く勢力地図に変化が現われる。今度は、満洲が中国大陸の脅威に浮上していったのだ。10世紀、満洲を征服したモンゴル系のキタイ（契丹）は、北京のある燕雲16州を手にするようになっていた。以後、モンゴル帝国の元が中国大陸から撤退する14世紀まで、北京を都としていたのは、満洲に勃興した金帝国やモンゴル帝国であった。

北京は、満洲やモンゴルと中国大陸をつなぐ結節点のような位置にあり、どちらにとっても前線といえた。ゆえに軍事力が集中する場となり、都となっていたのだ。こうして北京は、漢族とは異なる民族によって都として育てられていたのだ。

その後、明帝国がモンゴルを追い払い、中国大陸を制覇したとき、当初は、都を南京に置いた。けれども、第2代皇帝・建文帝の叔父・燕王は北京にあって、帝位簒奪を狙い、実際に成功、永楽帝として即位する。

永楽帝の勝利もまた、北京にあったことによる。モンゴル、満洲に備えねばならない北京には、強力な軍事集団があった。モンゴル帝国の残党も北京周辺に居残っていて、彼らも永楽帝の戦力になったから、建文帝の南京を攻略できたのだ。

明が瓦解してのち、中国大陸を制圧した満洲族の清帝国も、都を北京に置いた。故郷・満洲に近い位置にあるからだ。

その後、中華民国は建国当時、南京に都を置いたが、現在の中華人民共和国の都は北京となっている。それは、満洲の地政学的な地位を見越してのものだろう。満洲の向こうにはロシアがあり、満洲はロシア相手の砦となる。

さらに、満洲は朝鮮半島の備えにもなる。1945年以降、朝鮮半島の南部、韓国にはアメリカが浸透し、いまなおアメリカ軍基地が置かれている。これは、中国にとっては喉元に刺さった刺のようなものである。さらに、金一族独裁の北朝鮮にも信用の置けないところがあり、中国は朝鮮半島から目が離せない。その朝鮮半島と唯一、陸続きとなっているのが、満洲である。だからこそ、共産党の中国は北京を都とし、満洲を策源地にしようとしているのだ。

清帝国の版図をなぞる中国の地政学的戦略

●満洲族による中国大陸封鎖網を逆利用した現代中国

これまで述べてきたことを総括するなら、中華民国、中華人民共和国という現代中国は、清帝国の版図の再現を目指している。彼らは満洲族の清を否定しながらも、その版図を継承しようとしているのだ。

それは、漢族のプライドのなせる膨張戦略でもあれば、清朝の地政学的な戦略を学んだからでもあろう。さらにいえば、清帝国の中国大陸包囲戦略の逆手をとった膨張戦略といえまいか。

満洲族の清帝国が、直轄地としたのは、自らの故地・満洲と中国大陸である。中国大陸の住人は、満洲人と同じ弁髪という髪形を強いた。

一方、モンゴル、新疆（東トルキスタン）、チベットは、「藩部」として扱われ、大々的に自治を認めた。モンゴル、新疆、チベットは、満洲出身の清朝皇帝の同盟者であった。清の皇帝は、彼らに弁髪を強いることもなく、彼らの宗教や文化にも理解を示した。

満洲人・清による中華包囲網

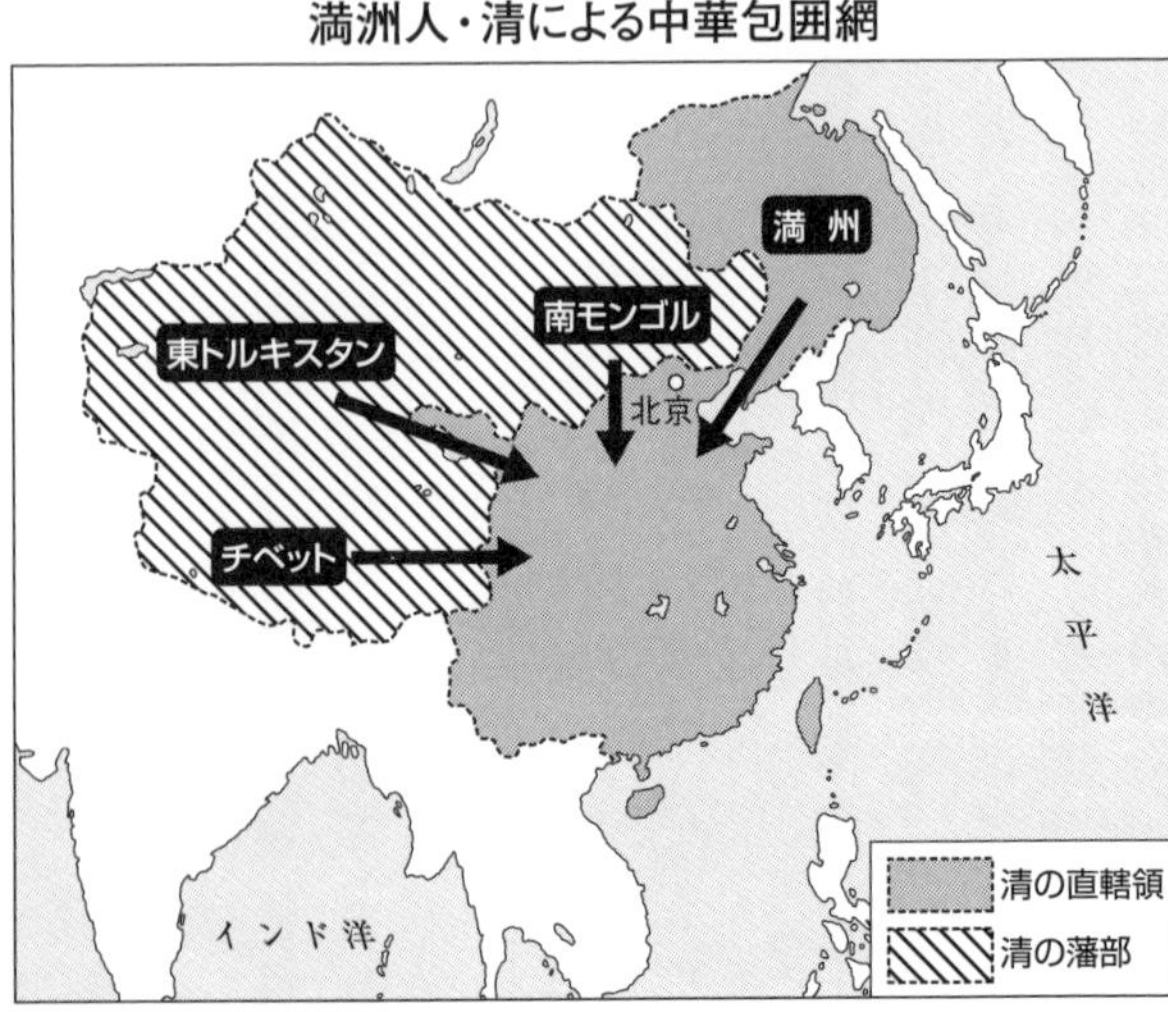

清朝皇帝が版図を直轄地と藩部に分けたのは、じつは中国大陸包囲網を形成したかったからだろう。歴代中国王朝には、膨張意識が強い。中国大陸を封じ込めるために、清の皇帝は中国大陸を直接統治し、満洲、モンゴル、新疆、チベットの円弧で包囲してみせたのである。中華思想のいうところの蛮族による中華封じ込めである。この円弧が健在であるかぎり、中国大陸の住人は内に逼塞するしかない。中華思想嫌いのモンゴル、新疆、チベットの統治者は、この円弧戦略を気に入り、清朝の同盟者になったともいえる。

また、清軍の主力である満洲族に、モンゴル、新疆、チベットを制するだけの能力があったこともたしかだ。明帝国に至るまでの歴代の中国大陸王朝にとって、モンゴル、東トルキスタン、チベットの征服は不可能と断じてよいものであった。清朝の騎兵たちは、これを可能にしてしまったのだ。

20世紀、清帝国が瓦解に向かいはじめて以来、中華の再興を掲げる中国大陸の漢族たちは、清の戦略に気づき、これを逆手にとろうとした。清の版図拡大は、漢族の指導者に新たな国境線を提示したようなものでもあった。中国がモンゴル、チベット、東トルキスタン、満洲へと国境線を広げるなら、中国大陸の守りの縦深はじつに深いものとなる。

現代中国は、モンゴル、チベット、東トルキスタン、満洲の確保に躍起となり、確保のためには手段を選ばなかった。おかげで、北モンゴルを除いて、清帝国の版図の多くを受け継いだのである。

それは、満洲、モンゴル、東トルキスタン、チベットという清朝時代の中国大陸包囲網を、逆に中国大陸の盾に改造するものであった。中国は、自らを縛る枠を逆に縛り、国境の最前線に仕立てたのだ。

ただ、漢族は清帝国の統治手法までは学ばなかった。清の皇帝たちがモンゴル、新疆、チベットの文化をリスペクトしていたのに対して、現代の中国に他者への敬意はない。南モンゴル、チベット、新疆の自治を形のうえでは認めても、内実は酷薄な手口で中国化を進め、すでに自治はないに等しい。この蛮行は、今後いかなる禍根を招くのだろうか。

●中国に独裁国家が成立しやすい地政学的理由

現在、中国共産党は強権をもって、住民を統制し、情報技術によって巨大な監視国家を築きつつある。欧米世界から見ればじつに異質な国家なのだが、中国大陸の歴史にあって共産党政権はめずらしい存在ではない。中国大陸の歴史を振り返るなら、ほとんどの王朝と政権は独裁型である。

そこには、中国大陸の置かれた地政学的な理由がある。中国大陸は、広大であり、ただでさえ一統の維持には大きな力とエネルギーを必要とする。固有の領土となった南モンゴル、チベット、新疆を統治しようと思うなら、なおさらだ。加えて中国大陸には自然国境はないと述べてきたが、じつのところ大陸内には自然障壁は多い。中国大陸の政権が求心力を失っていくなら、その自然障壁は自然国境と化して、国家の分裂の原因になる。

中国大陸の黄河、淮河、長江は典型的な自然障壁であり、とくに淮河と長江は中国大陸を華北と華南（江南）に分断する。4世紀の東晋、12世紀の南宋などは、華北で政権を失ったがゆえに、華南に逃れた亡命政権だ。ときに淮河や長江は自然国境と化して、外敵から身を守ってくれもするのだ。

また中国大陸には山地も多く、山地もまた自然国境となりやすい。3世紀の『三国志』の時代、劉備は四川盆地に「蜀」を打ち立て、曹操に対抗した歴史もある。日中戦争にあって、蒋介石が逃げ込んだのも四川盆地である。

広大で自然障壁の多い中国大陸は、放っておくとすぐに分裂する。いまからおよそ100年前もそうだった。孫文が指導者となった中華民国だが、孫文にはさほど統率力がなかった。北京には直隷派軍閥、満洲には奉天派軍閥があり、ほかに安徽派や西南派軍閥などがあった。孫文は西南派軍閥と組んで広東軍政府を樹立したものの、国の統一の戦略も何もなかった。

その後、孫文の後継者である蒋介石は、北伐により各地の軍閥を打ち破っていく。その蒋介石の北伐中、江南各地で跋扈していたのが共産党によるソヴィエト地区である。北伐ののち、蒋介石は共産党と戦わねばならず、蒋介石の力をもってしても中国大陸の一統はむずかしかった。

このようにすぐに分裂してしまう中国大陸をまとめるには、強い力が必要だ。そのため歴代の有能な皇帝ほど、力の信奉者となり、強権でもって住人を押さえ込んだ。

それは、現在の中国共産党政権も同じである。共産党の指導者たちは、中国大陸の地政学的な弱点とその歴史をよく知っている。民主主義では中国の統一維持はむずかしく、力でしか大国・中国の維持はありえないと見ている。ゆえに、共産党政権は一分の隙もない独裁を達成しようとしているのだ。

2章

日本周辺国の地政学

東シナ海で中国は何を狙っているのか？

台湾・東シナ海の支配を目指す中国の狙い

●なぜ中国は、ほぼ不可能にもかかわらず、台湾併合を声高に叫ぶのか？

現在、中国がその吸収に懸命になっているのが台湾だ。共産党の中華人民共和国は台湾を「台湾省」として、固有の領土と位置づけている。一方、台湾は「中華民国」を名乗り、建前上は、孫文の建国した中華民国の継承者を自認もする。

現代台湾と中国の歴史は、中国共産党を率いてきた毛沢東と、中国国民党の総統・蒋介石(しょうかいせき)の対立の歴史である。第2次世界大戦後にはじまった国共内戦に、蒋介石は敗れ、台湾にまで落ち延びた。蒋介石は、台湾を根城に中国大陸への反攻を唱えたものの、口先だけで終わる。毛沢東の共産党も、台湾の吸収を主張しながらも、できないままであった。

現在、台湾の軍事力は東アジアのなかでも侮(あなど)れないレベルにある。いかに巨額な軍事予算を投入しつづけている中国でも、台湾侵攻作戦をおこなうなら、大きな痛手を被(こうむ)るだろう。かりに局地戦で敗れでもしようものなら、中国共産党政権の威信は揺らぐ。ＡＩを駆使した奇襲作戦が成功するならともかく、中国にとって、台湾を力ずくで併合するのは、あまりに危険度が高い。

そんな現実が横たわっているにもかかわらず、大陸の共産党政権が台湾領有を声高に叫ぶのは、台湾を東アジアの海洋勢力のなかに入れたくないからだ。台湾が、海洋勢力である日本、さらに日本に基地を置くアメリカと完全に連携するなら、中国の東シナ海での攻勢はむずかしくなる。そればかりか、海こそは中国にとって最大の脅威ともなるのだ。

●海上封鎖に脆く、対処できないままだった中国王朝

海の防衛は、長く中国大陸の指導者が苦手としてきた。それは、皮肉なことに、古代から中世にかけて長く、東シナ海、南シナ海は中国大陸の自然国境としてありつづけてきたからでもある。

唐帝国の時代、東アジアは海の時代を迎えはじめる。イスラムの商船が中国沿岸にやってくる時代になっても、海からの脅威はなかった。なかったがゆえに、中国大陸の政権には海防の概念がなかったに等しい。唐、宋といった歴代王朝は、北のモンゴル、北東の満洲、西南のチベット相手には苦しんだが、海の広がる東はノーガードでよかった。

けれども、13世紀末ごろから、東シナ海、南シナ海は自然国境として機能しなくなる。まずは日本の倭寇（わこう）が中国大陸を襲いはじめた。さらにモンゴル帝国の時代の末期、塩商人・

方国珍が海賊化し、乱を起こしてもいる。中国の海岸部は、倭寇の攻勢を受けはじめたうえに、反乱の温床にもなりはじめていたのだ。

19世紀になると、イギリスやフランスなどヨーロッパ勢力の艦隊が中国大陸沿岸に出現する。イギリスとのアヘン戦争では、イギリス艦隊は中国の海岸部を次々と急襲した。巨大な陸軍を擁する清朝だが、イギリス艦隊の遊弋、襲撃を止める手立てはなかった。海からなら、備えの薄い陸地をいくらでも急襲できるのだ。

アヘン戦争下、清帝国の統治者たちは、イギリス海軍による海上封鎖の恐ろしさも経験している。イギリスの軍艦は長江を遡航し、鎮江を奪った。鎮江は、長江と黄河を結ぶ大運河の長江側の入り口である。ここを扼されるなら、江南の食糧や物資は北京に届かなくなる。清の宮廷はこれに恐怖し、イギリス側の突きつけた条件を呑む形で休戦条約を結ぶしかなかったのだ。

１８９４年からの日清戦争、１９０４年からの日露戦争を経たのち、東アジア海域の制海権を握ったのは日本である。清朝の海軍は日清戦争で惨敗したため、もはや日本海軍を食い止める手立てを失っていた。１９３７年からはじまる日中戦争にあって、日本が攻勢一辺倒になれたのも、中国の海防がまったくなかったからだ。日本海軍は上海沖に空母まで遊弋させ、日本からの軍事輸送船は続々と中国大陸に渡っていた。中国は、これに為す術を知らなかった。

このように、中国大陸の指導者には海からの脅威に対しての苦い記憶が残っている。ゆえに海からの脅威を恐れ、台湾問題にことさらに神経質になっているのだ。

●なぜ中国は、海洋政策で失敗をつづけてきたのか？

中国大陸の政権の海洋政策は、長く失敗つづきであった。海からの脅威に対して、ときにグロテスクな対応しかできなかった。

それは、明の洪武帝にはじまる。洪武帝が打ち出した海洋政策は、「海禁政策」であった。つまり中国の住人の海外渡航を禁ずるとともに、民間人の自由貿易を禁じた。貿易を認められたのは、明に朝貢する国の使者たちのみである。

中国大陸では、明の登場まで、海外交易がさかんであった。モンゴル帝国の統治した時代、イタリアの商人・マルコ・ポーロは中国の港の繁栄ぶりに唖然としている。泉州は中国随一、つまりは世界一の港として賑わっていた。それもこれも統治者であるモンゴル人たちが私貿易を認め、自らも貿易に参加していたからだが、洪武帝はその自由貿易体制を覆してしまった。

ひとつには、海洋からの襲撃に不必要に怯(おび)えたからだ。すでに洪武帝が明を建国するまえから、倭寇は中国大陸沿岸を襲撃しはじめていた。加えて、方国珍が海賊化する反乱もあった。洪武帝は海からの攻勢が国を転覆させかねないと考え、自由貿易を捨てたのだ。

その明の海禁政策をよりグロテスクにしたのが、清帝国の「遷海令(せんかいれい)」である。17世紀半ば、明帝国が自壊、満洲に勃興(ぼっこう)した清帝国が中国大陸を制覇したときだ。海賊・鄭芝龍(ていしりゅう)を父に、日本人を母にもつ海賊の鄭成功(ていせいこう)は、明の復興を夢見た。彼の軍団は海から中国大陸沿岸を襲撃し、一時は南京を奪回するかにも見えた。

鄭成功には、地政学を踏まえた戦略眼があった。鄭成功は台湾に目をつけ、ここを根拠地にして、中国大陸の攻撃を企画、日本の徳川幕府にも支援を要請している。かりに徳川幕府がこれを受け入れたなら、日本・台湾という海洋同盟が生まれ、清を海洋包囲できたかもしれない。それは、現代にあって、アメリカや日本の右派が進めようとしている中国包囲戦略に近い。けれども、徳川幕府はすでに独自の「海禁政策」を進めていたから、鄭成功の申し出を断っている。

鄭成功の戦略に慌てた清の康熙帝(こうきてい)が打ち出したのが、「遷海令」だった。遷海令は、中国大陸の沿岸17キロ以内に住人を住まわせないようにするものであった。となると、鄭成功は中国大陸の住人相手に密貿易ができなくなる。鄭成功の台湾には富が蓄積されないから、鄭成功一派はじり貧になろうという計略である。

たしかに遷海令は台湾を締め上げる効果があったが、あまりに粗暴な戦略であった。康熙帝は、東アジアの戦略経営に通じ、清帝国の国際的な地位を高めた賢帝である。けれども、その戦略眼は陸地に向けられたもので、もともと内陸育ちの彼には海洋戦略がなかった。台湾をやたらと恐れ、粗暴な封じ込め戦略をとらざるをえなかったのだ。

康熙帝の遷海令もあって、やがて台湾は中国に下る。台湾が初めて中国の版図と化した瞬間である。せっかく台湾を手中にしたにもかかわらず、清の歴代皇帝たちは台湾の重要性を認識しないままであった。18世紀の東アジアにはさしたる海洋勢力の勃興がなかったからでもあり、ゆえに19世紀末、清朝は日本相手にまずい手を打っている。

１８９５年、日清戦争の講和である下関条約では、清朝は日本に台湾を割譲している。19世紀、すでに東アジアは海洋勢力の角逐する時代に突入している。清朝は、海洋の時代における台湾の重要性をまったく理解せず、厄介払いのように台湾を日本に引き渡してしまったのだ。

一方、日本は台湾を手に入れたことで、海洋国としての地位を強化した。日本列島、沖縄諸島、台湾に至る弧は、東アジアの海洋を押さえ込む強力な弧であったが、清の崩壊後、内戦に明け暮れる中国の住人がそれを認識していたかどうか。

このように、中国の海洋政策は錯誤の歴史であった。そのため、中国大陸の沿岸は脆いままであったが、この脆さにようやく気づいたのが、毛沢東の中国共産党政権である。

●中国は台湾の重要性にいつ気づいたのか？

現代の中国共産党政権は、地政学的な見地から海洋戦略をとるようになった、初の中国政権だろう。毛沢東の中国が、海洋戦略、そのなかでの台湾の重要性を認識するようになったのは、蔣介石の台湾逃亡によってであろう。

このとき、毛沢東は台湾上陸作戦を企図したが、台湾の回収が、現実にはいかにむずかしいかを認識せざるをえなかっただろう。台湾に侵攻するためには、大規模な輸送船団とこれを守る護衛艦隊が必要である。蔣介石の台湾自体には、中国の船団を阻止するほどの海軍力はないが、蔣介石の背後にはアメリカ海軍がある。

当時、東アジアの制海権を握っていたのは、旧日本海軍を粉砕したアメリカ海軍である。朝鮮戦争では、その圧倒的なプレゼンスを毛沢東に見せつけている。朝鮮半島沖を遊弋するアメリカ空母部隊から発進した艦載機は、中国軍を痛めつけつづけた。

中国が台湾に攻め入ろうと渡洋艦隊を組織するなら、台湾を守るために、アメリカ海軍はこれを阻止にかかるだろう。当時の中国では、アメリカの空母部隊の前に海に出ることは自殺行為だ。潜水艦による攻撃を受けたら、旧日本海軍同様、全滅となるだろう。

毛沢東は、台湾の吸収を欲するほどに、台湾の背後にあるアメリカの存在を意識せざるをえなくなった。アメリカ海軍を東アジアで無力化しないかぎり、台湾の接収は不可能に近い。こうしてアメリカを意識するほどに、台湾は中国の喉元に刺さった刺のような存在になった。アメリカが日本、台湾と緊密化し、日本列島、沖縄諸島、台湾の弧が中国を押し込むなら、東シナ海はアメリカの「内海化」しかねず、中国は海上封鎖を受けたも同然となる。

この危機を回避するためにも、台湾をアメリカから引き剝がしたい。ゆえに、中国は台湾の領有を声高に叫び、胡錦濤時代にはたくみに懐柔し、台湾を引き寄せさえもした。中国は台湾を形のうえでは中国の一部と主張しつづけることで、アメリカが必要以上に台湾に接近しないよう、アメリカに釘を刺しているのだ。

●なぜ中国は、尖閣諸島の領有にこだわるのか?

現在、中国が東シナ海で狙いつづけているのが、日本の尖閣諸島の領有だ。中国船は、毎日のように尖閣諸島周辺海域に現われ、日本の海上保安庁の巡視船に圧力をかけつづけている。

尖閣諸島の領有を国際的に初めて宣言したのは、日本である。19世紀後半、日本は自国の国境線を欧米の手法に則って確定させていき、1895年に尖閣諸島の領有を決めている。このとき、清帝国は何ら日本に異議な唱えることはなかった。すでに述べたように、清朝には海洋戦略も何もなかった。だから、日本が尖閣諸島領有を宣言しても、無関心のままだった。毛沢東の中国も、ひところまで無関心であった。

中国が尖閣諸島に注目をはじめるのは、1960年代後半のことだ。ひとつには、ここに石油資源が眠っているとの情報を知ったからだ。以後、中国は尖閣諸島の領有を主張しはじめたが、そこには自制が働き、強く主張することはなかった。

中国が尖閣諸島領有を強く主張するようになったのは、1990年代からだ。1992年には中国は「領海法」を制定、尖閣諸島を自国領と決めた。以後、中国船が尖閣諸島沖の海域に出没し、日中対立の争点ともなった。

中国が尖閣諸島を欲しているのは、いまとなっては、資源欲しさからではない。尖閣諸島は、中国が東シナ海を内海化してしまうためのひとつの鍵となっているからだ。さらに

中国を閉塞する日本・台湾（南北逆）

は、太平洋へ進出し、太平洋国家となるために、こじ開けた い穴だからなのだ。

共産党の中国は、これまでの中国の王朝や政権とはまったく別の海に対する知見をもつようになっている。すでに述べたように、中国の歴代王朝、政権は、長く海からの脅威に有効確実な手段をもちえないままだった。19世紀から20世紀にかけては、東シナ海は中国のもっとも弱い正面にさえなっていたが、毛沢東の共産党政権は海からの脅威にどう対峙すればよいかに、ようやく気づいた。海洋勢力の攻勢に対抗し、自国の沿岸を守るには強力な海軍の育成しかないことをだ。

自国に強力な海軍があるなら、自国沿岸の沖合を他国の艦隊に自由に遊弋させはしない。自国の海軍が敵国の艦船を追い払い、あるいは撃沈に追い込むなら、自国の沿岸の守りは確立される。このことに、日本の場合、19世紀の幕末に気づいたのだが、中国も遅ればせながら認識したのだ。

現代中国は強力な海軍を養成し、東シナ海、さらには南シナ海の「内海化」を進めてきた。この内海化に対して、圧力となっているのが、日本列島、沖縄諸島、台湾の弧である。日本列島や沖縄諸島からなら、その気になれば、いくらでも東シナ海深くにアプローチできるのだ。日本を基地とするアメリカ艦隊や海上自衛隊が自由に、東シナ海の中国大陸寄りを航行するなら、東シナ海の内海化は完成しない。

中国が東シナ海を完全に「内海化」したいなら、日本列島から台湾に至る弧を打ち砕くか、沈黙させるしかない。そのための穴が、尖閣諸島である。尖閣諸島は日本から台湾を結ぶ弧上にあるうえ、中国が唯一、領有を主張しつづけてきた地だ。長年の主張あればこそ、国際世論を納得させやすい。

中国が尖閣諸島を強引に実効支配にかかるなら、やがては軍事基地を建設するだろう。尖閣諸島の軍事基地化によって、日本と台湾は分断されるし、尖閣諸島は沖縄諸島への睨（にら）みにもなる。こうなると、アメリカ、日本も東シナ海で攻勢に立てず、守勢一方となる。日本、アメリカの「沈黙」により、東シナ海の内海化が完成するのだ。

中国がこうして尖閣諸島という穴を穿（うが）つなら、中国艦隊は尖閣諸島よりもさらに東、太平洋への進出も可能になる。中国は「太平洋国家」と化し、西太平洋での覇権さえもが視野に入ってくるだろう。尖閣諸島を得てようやく、中国はアメリカに対抗する海洋国家となる道が開けてくるのだ。

さらには、尖閣諸島を押さえるなら、台湾に対する強い恫喝となる。現在のところ、中国が台湾を屈伏させるのは不可能に近いが、尖閣諸島を得るとなると、話は違ってくる。尖閣諸島から台湾までの距離は、わずかに200キロ程度でしかない。わずか200キロ先に中国が軍事基地を設営するなら、それは台湾に対する強い圧力となる。その圧力の前に、台湾の指導者がぶれるなら、中国のつけ入る隙がいくらでも生まれるのだ。

朝鮮半島が中国に支配されない理由

●侵攻はできても、完全統治のむずかしい朝鮮半島

中国大陸周辺の陸地にあって、唯一、中国の王朝に占領されたことがない地が朝鮮半島である。新羅、高麗、李氏朝鮮とつづく朝鮮半島の国家は、長く中国の属国のようでさえあった。新羅以来、中国王朝に朝貢し、中国の暦を使いつづけていたのだから、属国といわれてもしかたないところがある。

けれども、朝鮮半島は中国王朝に完全に支配されたことはない。中国王朝の直轄領となったこともない。それればかりか、その長い歴史にあって、他国から直接統治された時代はごくわずかだ。

13世紀から14世紀にかけて、モンゴル帝国に屈していた時代、朝鮮半島はモンゴルからの干渉を受けた。モンゴルの騎兵集団は、朝鮮半島各地にあった。そのモンゴルが去ってのち、20世紀、1910年から1945年まで日本に直接統治された時代を除けば、朝鮮半島は直接支配をされたことがないのだ。広大な藩部とつながっていた満洲族の清帝国も、朝鮮半島を直轄地として支配してこなかった。

中国という膨張しやすい国家が、朝鮮半島を放置したままであったのは、ひとつには満洲の存在がある。朝鮮半島の唯一の地つづきとなるのは、北の満洲である。その満洲は、中国大陸の王朝に支配される時代もあったが、独立していた時代も長く、逆に中国大陸を支配することさえあった。中国大陸の王朝にとって満洲は従えにくい地であり、その先の朝鮮半島にまで力が及びにくかった。

しかも、長く朝鮮半島は中国の安全保障にさほど重要でなかった。日本が朝鮮半島や大陸に関心をもたないかぎり、朝鮮半島が中国の喉元に刺さる棘(とげ)となることはなく、無害な朝貢国として放置したままでよかったのだ。

加えて、朝鮮半島に侵攻して、蹂躙するのは容易でも、その統治はむずかしかった。朝鮮半島は山がちであり、谷や盆地も多い。直接統治していくには、村の一つひとつを服属させていくしかなく、統治を誤れば村民の反抗やゲリラ戦に悩まされる。統治を成功するには、住人の一人ひとりを手なづけていくしかない。

それを試みたのが、16世紀、豊臣軍の第2次朝鮮半島侵攻である慶長の役だ。この侵攻にあって、日本の大名たちは、朝鮮半島深くに侵攻していない。彼らは朝鮮半島南端の各地に、戦国時代を勝ち抜いてきた統治方式を導入している。つまり「倭城」と呼ばれた守りの堅固な拠点城を築き、その周辺に農民を住まわせ、田畑を耕作させた。大名たちは農民たちを外敵から守ってやる代わりに、租税を徴集した。

それは、戦国時代の独立志向の強い村を味方につけてきた手法と同じである。この手法なくして、朝鮮半島の住人の従属はありえないと考えたのだ。このようなこまめな統治をしないことには、一つひとつの村は帰属しないのだ。

ただ、慶長の役は豊臣秀吉の死によって終わり、日本の大名たちは朝鮮半島の領地を捨てて、帰国する。結果こそ完全には出ていないが、日本の大名の統治領域に集まる農民もあったというから、日本の大名たちの統治手法は失敗ではなかったのだろう。

山と谷の多い朝鮮半島は、侵攻は容易でも、完全統治はむずかしい。朝鮮半島はさほど豊かな土地ではないから、こまめな統治は征服者にとっては対価に見合わない。

それは、日本を完全に統治するむずかしさと同じでもある。日本列島もまた、山と谷の多い地域である。だから、中央権力が地方の村々まで浸透はしにくい。日本であっても、戦国大名たちを畏怖させた豊臣秀吉、徳川幕府でさえも、中央集権体制を築けなかった。

彼らは、大名たちによる地方分権に任せるよりなかった。日本が中央集権化するのは明治以降の話であり、朝鮮半島の統治のむずかしさも日本に似ているのだ。

●なぜ朝鮮半島は、日本を巻き込んでの「大戦争」の場になりやすいのか?

朝鮮半島は、長く東アジアの辺境地帯でもあった。東アジアの中心を自負する大国・中国の安全保障に、さして影響のない地帯であったからだ。

たしかに満洲に強大な勢力が誕生したとき、朝鮮半島の王は、満洲の皇帝に従うのか、中国大陸の皇帝に従属するのかを迫られもした。けれども、朝鮮半島を巡って、中国大陸の王朝と満洲の王朝が激突するまでのことはなかった。ともに、朝鮮半島の国力を侮りもしていたからだ。その意味で、19世紀まで、日本が大陸に目をやらないかぎり、朝鮮半島はそこそこの平和を得られてきた。

けれども、19世紀以降、朝鮮半島の地政学的な地位は激変してしまった。大国がせめぎ合う境界の場となってしまったからだ。朝鮮半島の北・満洲ではロシアの勢力が南進し、朝鮮半島に強い影響力を及ぼしはじめていた。一方、1860年代以降、日本が明治維新によって近代化を進め、軍事強国たろうとしてきた。アヘン戦争に敗れた清帝国も洋務運動によって近代化を目指し、東アジアの盟主の座を再確立しようとしていた。朝鮮半島は、中国、ロシア、日本の勢力がぶつかり合う角逐の地と化していたのだ。

朝鮮半島問題にもっとも神経質になっていたのは、日本である。ロシアが朝鮮半島を勢力圏に置くなら、日本の独立は危うい。日本海は「ロシアの内海化」しかねず、そうなれば、ロシアの日本侵攻もありうる。

こうした大国、強国の角逐を利用したのが、李氏朝鮮の政治家たちだ。彼らはそれぞれ大国の支援を求め、国内での発言力を強化しようとした。それは、大国の朝鮮半島への介入の道を開きかねないものだった。

実際、19世紀から20世紀にかけて朝鮮半島を巡っての戦争が三度も勃発している。まずは1894年からの日清戦争、つづいては1904年からの日露戦争である。ふたつの戦争は、日本が朝鮮半島から中国やロシアの影響力を排除するためのものであった。

日米戦争では日本がアメリカに完全敗北し、朝鮮半島を失う。力の空白地帯と化した朝鮮半島に浸透をはじめたのは、ソ連である。ソ連の朝鮮半島浸透に焦ったアメリカもまた、朝鮮半島の南部の確保に乗り出す。こうして１９４８年、ソ連の支援する北朝鮮、アメリカを保護者とした韓国が誕生した。

一時期、日本の統治者にもなったアメリカも、東アジアと朝鮮半島の地政学的な事情をようやく知るところとなる。アメリカは日本に軍事基地を置き、日本列島から東アジアを眺めた。日本列島からの視点で東アジアを見るなら、朝鮮半島は日本防衛の要と認識したのだ。アメリカは朝鮮半島全体をソ連圏に置くわけにはいかず、韓国を独立させ、ソ連を盟主とする共産圏への橋頭堡（きょうとうほ）としたのである。

この橋頭堡・韓国を巡る戦いが、朝鮮戦争となる。北朝鮮の金日成（キムイルソン）は、ソ連のスターリン、中国の毛沢東の了解をとりつけ、南北朝鮮の軍事的な統一の冒険に出た。アメリカ・韓国軍は釜山（プサン）とその周辺にまで追い詰められたが、アメリカは朝鮮半島の完全な「ソ連化」を望まなかった。マッカーサーによる国連軍の反撃により、ようやく韓国は維持できたのだ。このとき、アメリカ軍の策源地、補給地となったのは、日本列島であった。

このように朝鮮半島では三度も大きな戦争がおこなわれている。いずれも、日本列島から見た視点が戦争に関わっていて、日本が朝鮮半島に関わろうとすればするほど、戦争の危険性は高くなっているのだ。

●なぜ北朝鮮は、ロシア、中国の従属国家にならないのか?

朝鮮半島の国家は、新羅(しらぎ)以来、長く中国大陸の王朝に従属していた。けれども、現在の北朝鮮は異なる。北朝鮮は、中国、ロシアという大国と接しているにもかかわらず、中国、ロシアの従属国とはなっていない。

もともと、北朝鮮はソ連の強力な後押しがあって誕生した国家であった。初代の最高指導者・金日成はその初期、ソ連の傀儡(かいらい)といってもおかしくなかった。その傀儡としてスタートした金日成はやがてソ連の影響力から半ば抜け出し、かといって、中国に従属することもなかった。北朝鮮は、中国、ロシアを相手に独立国家としてふるまってきている。

北朝鮮がそれをなしえたのは、金日成やその後継者・金正日らが北朝鮮の地政学的な地位をよく掌握(しょうあく)していたからだろう。北朝鮮は北緯38度線の国境で、韓国と接する。韓国にはアメリカ軍の基地があり、北朝鮮は東アジアで対アメリカの最前線にあるといっていい。だから、中国もロシアも安易に北朝鮮を潰せない。北朝鮮を独立国として活かしておくことで、アメリカ陣営との緩衝地としたほうが安全保障度が高い。

金日成はそのことをよくわかっていたから、中国とロシア相手に二股外交にも出ている。ふつう、ロシア、中国相手の二股外交を展開しようものなら、どちらの味方なのか選択しろ、との恫喝(どうかつ)を受けかねない。21世紀には、韓国が中国、アメリカ相手の二股外交をやろうとして、中国、アメリカからともに恫喝を受けるという火傷を負っている。しかしながら、北朝鮮は、対米最前線という特殊な地位にある。そのため、中国もロシアも北朝鮮の二股外交には文句をいいにくいのだ。

金日成は、あるときは中国に接近、またあるときはロシアに近づき、ふたつの大国間をたくみに泳ぎきってきた。この過程で、北朝鮮のロシア派を一掃し、独裁を固めることに成功したのだ。

北朝鮮が住民の貧苦を犠牲にしても、核開発がつづけられるのも、その地政学的な地位による。中国もロシアも、金一族の政権が崩壊し、北朝鮮が融解するような状態は避けたい。北朝鮮に大きな混乱が生じるなら、アメリカが介入してくるからだ。アメリカが北朝鮮を影響下に置くなら、中国もロシアもアメリカの勢力と地つづきになってしまう。だから、中国もロシアも、北朝鮮の核開発を苦々しく思いながら、本気で止めはしない。そればかりか、中国の場合、北朝鮮に経済的な支援までおこなっているのだ。

日本と中国が対立する地政学的宿命

●日中友好をむずかしくしている〝世界の視線〟

現在、日本の最大の脅威となっているのが中国である。中国は日本の領有する尖閣諸島を欲し、さらには沖縄の支配までも視野に入れている。これに対して日本は防戦一方であるうえ、国内では中国に対して、認識が割れている。中国を危険視する者もいれば、経済や民間交流の立場から日中友好を唱える者もいる。

けれども、日中友好の時代はそうはつづかない。日本と中国両国の置かれた現代の地政学的な事情が、日中同盟のような関係をゆるさないのだ。

中国が、日本を東アジアの盟主を争う最大の敵と見るようになったからだ。中国が東アジア、東南アジアに浸透し、巨大な「中華圏」をつくろうとしているとき、唯一、障害となっているのが日本とその背後にあるアメリカだ。日本、アメリカが健在であるかぎり、中国周辺諸国には、中国ではなく、日本、アメリカという選択肢が残されつづける。それは、中国の覇権確立を損なうものになっているのだ。

中国の指導者の目からすれば、日本は小国である。中国は960万平方キロの面積を誇る大国であるのに対して、日本の面積は38万平方キロ。中国のおよそ4%ほどでしかない。ゆえについ見下してしまう一方、その小国・日本が中国に服属しないから、そこが癪にさわりもしている。

ただ、いかに中国が日本を小国視しようと、中国を取り巻く諸国はそう思わない。国土面積からして、日本はイギリスよりも大きい。ヨーロッパにあって、イギリスがヨーロッパ大陸に対抗してきた歴史を考えるなら、日本も簡単に中国に屈しないだろう。日本人はともかく、外部はそう評価する傾向にある。

しかも、日本は中国とは海を隔てた関係にあり、容易には攻略できない。歴代の中国大陸由来の王朝は、日本征服など考えたこともなかった。その独立の歴史が、東アジア、東南アジアでは稀であり、東アジアや東南アジアでは、日本を中国の対抗者としても見るようになっている。

アジアの国々が、安全保障のため、いかに日中の拮抗を考えているかは、1955年のアジア・アフリカ会議が象徴している。インドネシアのバンドンで開かれたこの会議には、アジア15か国、中東8か国、アフリカ6か国の29か国の代表が集まった。アメリカでもソ連でもない「第三の道」を模索しようと、中国の周恩来（しゅうおんらい）首相、インドのネルー首相、エジプトのナセル大統領らの顔があった。

この会議に、日本も参加している。それは、要請を受けてのものだった。当初、日本は、会議に参加するなど夢想だにしなかった。第2次世界大戦にあって、日本は東南アジア各地に侵攻していた。戦後の日本は、その侵攻を反省し、アジア諸国にものをいえる立場にないと考えていた。けれども、会議に参加した国の代表は、日本の列席も求めたのだ。

そこには、中国とインドへの牽制（けんせい）の意味があった。アジア・アフリカ会議が、中国、インドの強いの主導下に置かれることを恐れたのである。とくに日本招請に動いたのは、パキスタンだったといわれる。いまでこそパキスタンは中国の友好国となっているが、当時は違った。インドと中国が結びつくなら、パキスタンは劣勢となる。そこで、中国、インドを牽制する役割を日本に求めた。そのパキスタンの日本招請の主張を、他のアジアの国も黙認していた。アジアの国々は、日本を中国の対抗者と見なしていたのだ。

中国の牽制に日本列島が必要であることは、アメリカも認識している。ゆえに、ソ連の脅威が消滅したのちも、日本列島に基地を置きつづけ、中国の動向を監視しているのだ。

アメリカにとって、日本は中国の東方への膨張を阻む「瓶(びん)の蓋(ふた)」のようなものだ。

かつて、アメリカのニクソン大統領は、中国の毛沢東との会話のなかで、在日アメリカ軍を「瓶の蓋」にたとえたことがある。当時、毛沢東は在日アメリカ軍を脅威と見なし、その撤退を欲していた。これに対して、ニクソンは在日アメリカ軍を日本の軍事的な膨張を押さえ込む「瓶の蓋」にたとえてみせている。ニクソンは、日本の再軍国化、強国化も恐れていたから、ニクソンの説明に納得した。その構図が21世紀には変化し、日本列島が中国の膨張を押さえ込む「瓶の蓋」になっているのだ。

●日本海軍殲滅を可能にした、アメリカの「海洋国家」戦略とは？

アメリカが日本に軍事基地を置くようになったのは、第2次世界大戦後のことだ。アメリカは日本を無力化し、二度と武装させないため、監視のための軍事基地を置いた。その軍事基地の性格は、やがてソ連や中国を意識したものに変わるが、そもそもなぜ日本はアメリカに軍事基地の設置をゆるすほどの完敗を喫したのだろうか。

単純にいえば、国力の差であろう。と同時に、日本が地政学を理解した真の意味の海洋国家ではなく、海軍の運用を誤ったからでもあろう。

日本は四方を海に囲まれた国である。ならば、海洋国家であると認識しがちだが、海に囲まれる、あるいは面していれば、そのまま海洋国家になれるわけではない。

真の海洋国家は、水産資源の獲得以外にも、海洋を利用する。海洋のはるかかなたまで船団を送り込み、交易をなす。あるいは、近代以前なら、大陸や島を軍船で襲撃、掠奪をおこないもすれば、敵国の商船を拿捕し、積み荷も奪い取りもする。こうしたえげつない行為までできて、はじめて真の海洋国家となる。

海洋国家の海軍の任務は、敵の海軍を無力化することのみではない。敵国の海上輸送網を寸断し、敵国を海上封鎖によって、干上がらせる。逆に敵国による海上封鎖を絶つために、輸送船団には強力な護衛艦隊を配備する。ここまでやって、真の海洋国家としてふるまえるのだ。

日本はといえば、明治時代になるまで、列島のなかに閉じ籠もりがちで、海洋を目指すことはなかった。海上封鎖の概念もなければ、護衛艦隊の発想もない。ペリーの黒船の来航を受けた19世紀半ばから日本は近代海軍の建設を目指すが、それは外国の軍艦に平然と日本列島近海を遊弋させないためのものであった。首都圏をはじめとする大都市が砲撃されないことを目的として、そこから先、海軍の使い方にはあいまいなところがあった。

それでも戦前の日本が世界屈指の強力な海軍を擁し、海洋国家然としていられたのは、真の海洋国家との戦いを経験しないままだったからだ。

アメリカ海軍に敗れるまで、日本海軍が戦い、打ち破ってきたのは、中国海軍やロシア海軍であった。中国もロシアも海洋に面しているとはいえ、真の海洋国家ではない。強力な海軍を有していても、その目的は日本同様、敵艦隊の破壊くらいにしか置いていない。海上封鎖や輸送ルートの破壊の概念に乏しい。おかげで艦隊決戦によって、中国の北洋艦隊、ロシアの旅順（りょじゅん）艦隊、ウラジオストク艦隊、バルチック艦隊らを撃破してきた。けれども、中国やロシアが無用な艦隊決戦を避け、海上輸送ルートの寸断を図ったら、いったいどうなっていたか。

日露戦争にあっては、ウラジオストク艦隊が一時期、日本近海を遊弋し、海上輸送ルートの破壊に乗り出している。これとて、小規模な襲撃にとどまり、日本の海上輸送ルートをズタズタにするものではなかった。

日本政府や国民がウラジオストク艦隊に怯（おび）えたのは、東京湾に侵入され、東京を砲撃されると想像してのことだった。この一点で、日本もロシアも海軍の真の意味を理解していなかった。

これに対して、アメリカは真の海洋国家であった。次章で述べるように、19世紀、南北戦争という内戦下、海上封鎖を体験している。リンカン大統領の北軍は、南部の海上封鎖作戦に踏み切り、これを実現させた。南部の経済は、ヨーロッパへの綿花の輸出頼みである。

南部の輸送船が海上封鎖によってヨーロッパに向かうことができなければ、南部経済は破綻する。そればかりか、輸入品が入らなくなるから、南部の住人はコーヒーにも事欠くようなありさまで、これでは士気は上がらない。南部は、北軍の海上封鎖によって敗れたといってもいいのだ。

真の海洋国家とぽっと出のエセ海洋国家が戦うなら、その勝敗の帰趨は明らかだ。日本海軍はアメリカ海軍との艦隊決戦を望んだが、アメリカ海軍には艦隊決戦につきあう気がない。アメリカ海軍のやったことといえば、まずは潜水艦を使っての日本の輸送船攻撃であった。これにより、日本に向かう多くの輸送船が沈められ、日本は物資不足に陥っていった。タンカーも撃沈されているから、日本海軍は自慢の戦艦、空母を安易には動かせなくなってしまった。

海上封鎖の仕上げは、日本近海への機雷投下である。日本の主要な港湾などに機雷を投下していくなら、日本にはもはや物資は入ってこない。日本はアメリカの海上封鎖によってさんざんに締め上げられてしまったのだ。

現在、中国は海軍を拡充し、海洋国家たろうとしている。中国がアメリカ並の真の海洋国家と化す日がくるなら、日本列島はじつに危うい。

3章

アメリカ・太平洋の地政学

アメリカがいま、中国の封じ込めを開始した理由

中国の膨張政策を看過しないアメリカ

●なぜアメリカは、ユーラシア大陸のスーパーパワー誕生を阻止してきたか?

現在、世界各国が注視しているのは、アメリカと中国の対立である。1970年代末から大きく台頭をはじめた中国は、21世紀に巨大な大国と化し、さらにはアメリカを凌(しの)ごうとする超大国になりつつある。アメリカはその中国の超大国化をゆるさず、中国との対決色を強めている。

米中の対立は、覇権国対覇権を狙う大国の対立である。アメリカは地政学的な視点でも中国の封じ込め、弱体化を目指している。アメリカは、ユーラシア大陸に巨大なスーパーパワーが誕生することを嫌うからだ。

このあたりの論拠は、大陸国家対海洋国家の対決という地政学理論によるところが大きいだろう。地政学のひとつの見方では、世界は海洋国家と大陸国家に分かれる。海洋国家が恐れているのは、大陸に巨大な帝国が誕生することだ。ユーラシア大陸に巨大な力が育つなら、海を越えて、海洋勢力を呑み込みかねないからだ。

大陸国家には、膨張を目標とするところがある。とくに自然国境をもたない中国やロシアは、わが身を守るためにも、少しでも領土を膨らませたい。その膨張欲求が嵩じると、海洋進出となり、海洋国家を脅かすのだ。

アメリカは巨大な大陸国家でありながら、海洋国家を自認している。海洋国家アメリカは、ユーラシア大陸にスーパーパワーが育つことを阻止したい。阻止に失敗すれば、アメリカ自体の安全保障が怪しくなる。そのために、台頭する中国を押さえつけようとしているのだ。

アメリカの中国封じ込め、弱体化戦略は、かつてのソ連封じ込め、弱体化戦略の延長線上にある。アメリカとスターリンのソ連は第2次世界大戦をともに戦い抜き、アメリカのローズヴェルト大統領はスターリンを信頼していた。

けれども、戦後、アメリカは初めてソ連の本質を知る。ソ連は東欧諸国を共産化し、自国の衛星国のようにしてしまった。

そればかりか、ソ連の支援もあって、中国の内戦に勝利したのは毛沢東の中国共産党となる。戦後5年も経ないうちに、東欧から中国まで、ユーラシアの多くが共産化、ソ連圏となってしまった。

ソ連がさらに膨張し、西ヨーロッパまでを呑み込むなら、ユーラシアに超絶的な勢力が生まれるだろう。それは、アメリカの安全保障の危機につながるものであり、アメリカはソ連の封じ込め、弱体化戦略をとった。

その最大最強の一手が、米中接近であった。1970年代初頭、アメリカはひそかに毛沢東の中国に接近、ニクソン大統領の訪中を実現させる。中国をソ連から引き剝がし、味方につけたのだ。それもあって、ソ連の脅威はやがて消滅していく。

ただ、代わりにアメリカや日本の支援を受けつづけた中国が急速に力をつけ、ユーラシア大陸で膨張をはじめた。このさまを見るなら、アメリカのユーラシア大陸へのアプローチは、どこか場当たり的で、いつまでも終わらないモグラ叩きにもなっている。

●なぜアメリカは、モンロー主義を転換し、日米戦争をはじめたのか?

アメリカが地政学理論に則ったかのようなユーラシア大陸への戦略を採るのは、第2次世界大戦からだ。第2次世界大戦は、アメリカのユーラシア大陸への初めての本格的な介入劇であった。

アメリカは、長くモンロー主義を掲げてきた。つまり、ヨーロッパの政治や紛争に関わらない。代わりに、ヨーロッパ諸国に南北アメリカ大陸への介入をさせない。第2次世界大戦は、このモンロー主義との訣別を迫るものであった。

たしかに、アメリカは第1次世界大戦にも、ヨーロッパ戦線に兵を送り、参戦している。それは、ウィルソン大統領の独得の個性による参戦であり、例外的な選択でもあった。

実際、第1次世界大戦ののち、アメリカはすぐにモンロー主義に回帰している。1930年代、日本が満洲事変が起こそうが、日中戦争に突入しようが、おかまいなしだ。ヨーロッパでスペイン内戦がはじまっても、知らぬ顔である。

アメリカが1930年代が終わるまで、ユーラシアへの介入を避けてきたのは、ユーラシアに巨大なパワーを見なかったからでもある。19世紀初頭のナポレオンの大征服も一時的なものであり、アメリカを神経質にはしなかった。けれども、第2次世界大戦がはじまり、ヒトラー率いるナチス・ドイツがフランスを下し、北アフリカでも勢力を拡大、ソ連になだれ込むようになると話は違ってくる。

ヨーロッパを席巻するヒトラーやイタリアのムッソリーニのファシズムは、共和制を理想とするアメリカとはまったく異質である。ヨーロッパでファシズム圏に属さない国がイギリスのみになる事態になると、ローズヴェルトも参戦を視野に入れざるをえない。

加えて、日本である。アメリカは日中戦争までは半ば黙認していたが、1940年9月から一大転換をはじめる。

この月、日本が日独伊三国同盟に加わったのみならず、軍を北部仏印（フランス領インドシナ）に進駐させたからだ。ローズヴェルトは日本の仏印進駐をさらなる膨張と見なし、東アジアで強力なパワーがこれ以上育つことを嫌った。

しかも日本がドイツ、イタリアというファシスト国家と結託したことで、ユーラシア大陸がファシスト帝国化するのではないかと懸念した。

ドイツ、日本がソ連を挟撃するなら、ソ連も屈するだろう。となると、ドイツを盟主とするユーラシア・ファシスト帝国が、海洋国家アメリカと向き合い、アメリカ上陸作戦までも策略しかねない。

そこから先、ローズヴェルト大統領は、ユーラシア大陸への介入の道を模索しはじめる。そのため、対日石油輸出の全面禁止措置を取り、日本を締め上げにかかった。当時、日本はアメリカの石油に大きく依存していた。アメリカからの石油が絶たれるなら、強力な戦艦も鉄屑同然となる。日中戦もつづけられず、撤退するしかないだろう。

アメリカは日本を締め上げることで、日本をドイツ、イタリアから引き剥がしにかかった。日本がアメリカに屈伏し、アメリカの要求を呑むなら、ソ連の危機は回避され、戦いはヨーロッパ戦線のみになる。ユーラシア大陸にファシストによる大帝国が誕生するかは、微妙なところまで押し戻せる。

だが、日本はアメリカに締め上げられすぎ、逆上してしまった。これが日本海軍によるハワイの真珠湾奇襲作戦となり、日米戦争がはじまった。いったん戦争をはじめたかぎり、アメリカは二度と東アジアに巨大なパワーが育つことのないよう、日本を踏み潰さねばならないと考えた。それが日本列島の海上封鎖、原爆投下となり、日本を完全屈伏させたのである。

第2次大戦下、アメリカはヨーロッパ戦線、太平洋戦線で主役であり、戦争に関わりすぎた。戦後、気がついたときには、支援しつづけてきたソ連がユーラシアで強大な膨張国家になっていた。そのため、モンロー主義を放棄せざるをえなくなっていたのである。

けれども、いつの日か、アメリカがモンロー主義に回帰するときもくるだろう。ユーラシアで大きなパワーが育たず、ユーラシアが分裂した状態にありつづけたときだ。こうなると、ユーラシアでいくら紛争が頻発しようと、アメリカは知らぬ顔となるだろう。弱体化した中国と日本が尖閣(せんかく)諸島を巡って小競り合いしようと、傍観者(ぼうかんしゃ)を決め込むだろう。

アメリカ建国の歴史が決定づけた、その後の世界戦略

●なぜアメリカは、モンロー主義を長くつづけてきたのか？

アメリカは、第2次世界大戦に参戦するまで、長く「モンロー主義」を国是としてきた。アメリカはヨーロッパの争いに介入しない。その代わり、ヨーロッパ勢にアメリカに介入させないというあり方だ。

「モンロー主義」は、第5代大統領だったモンローが唱えたのだが、じつは「建国の父」であるワシントン以来の方針である。アメリカは建国の時点から、ヨーロッパと距離を置こうとしたのだ。

「モンロー主義」は、アメリカの安全保障の基本でもあった。アメリカとヨーロッパの間には、広大な大西洋がある。大西洋は巨大な自然国境になりそうなものだが、アメリカの指導者たちはそうは考えなかった。

たしかに16世紀までの大西洋は、完全な自然国境であった。だから、アメリカ大陸の先住民たちは内輪で抗争することはあっても、海からの侵攻、浸透を受けたことがなかった。

南北アメリカ大陸は、太平洋と大西洋によって、閉ざされた空間でありつづけた。

けれども、帆船(はんせん)と航海技術が発達し、外洋航海が大きな苦でなくなっていった17世紀以降、大西洋はアメリカ大陸にとって自然障壁とはいえなくなっていた。ヨーロッパからアメリカ大陸に入植する者が多くなればなるほど、その傾向が強まった。アメリカとヨーロッパは大西洋によって緊密につながりはじめ、従属関係さえ生まれていた。主となっていたのはヨーロッパ諸国であり、従属するのはアメリカだった。

アメリカに植民地を築いていたのは、イギリス、フランス、スペインらである。アメリカはヨーロッパの植民地として成り立ち、ヨーロッパに縛られつづけていたのである。

アメリカの独立は、本国イギリスの課した重い税に対する反発からはじまったが、遅かれ早かれそうなったと考えられる。大西洋を隔てての統治は、そう簡単ではない。アメリカが東海岸の小国のままならそれもあっただろうが、最初の独立13州は本国イギリスよりも広大であり、人口も増加していた。こののち、フランスやスペインもアメリカ植民地を放棄しているから、独立は必然に近かった。

けれども、独立したとはいえ、アメリカがヨーロッパの植民地であったという記憶と事実は残る。ヨーロッパ諸国にしろ、アメリカに介入する誘惑に駆られやすい。これを拒否するために、モンロー主義は生まれたのである。モンロー主義には、ヨーロッパへの恐怖があったともいえる。

●アメリカが分裂しなかった幸運な事情

アメリカは、50の州を有する連邦国家である。各州には大きな権限と裁量があり、州独自の法や税制がある。一つひとつの州は独立国にも等しいのだが、にもかかわらず、アメリカでは州の完全独立はない。アメリカは、分裂しないままである。

アメリカが分裂しないのは、ひとつには圧倒的な障害となる自然国境が存在しないからである。たしかにアメリカには、ロッキー山脈やアパラチア山脈、ミズーリ川、ミシシッピ川など、自然国境になりそうな障壁がある。かつて先住民、インディアンたちのみが暮らしていた時代、ロッキー山脈やミズーリ川は自然国境になりえただろうが、ヨーロッパからの入植が進む18世紀には、入植者には自然国境ではなくなった。自然国境がないから、インディアンたちは、ヨーロッパの入植者に押されて、独自の生存圏を確保できなかった。

アメリカの拡大は、「西へ」である。入植者たちが西へ進むなら、ミズーリ川やロッキー山脈が待っている。そのミズーリ川を渡り、ロッキー山脈を越えてしまえば、太平洋岸に達する。これにより、アメリカ合衆国はひとつの統一体となった。

アメリカの領土拡大

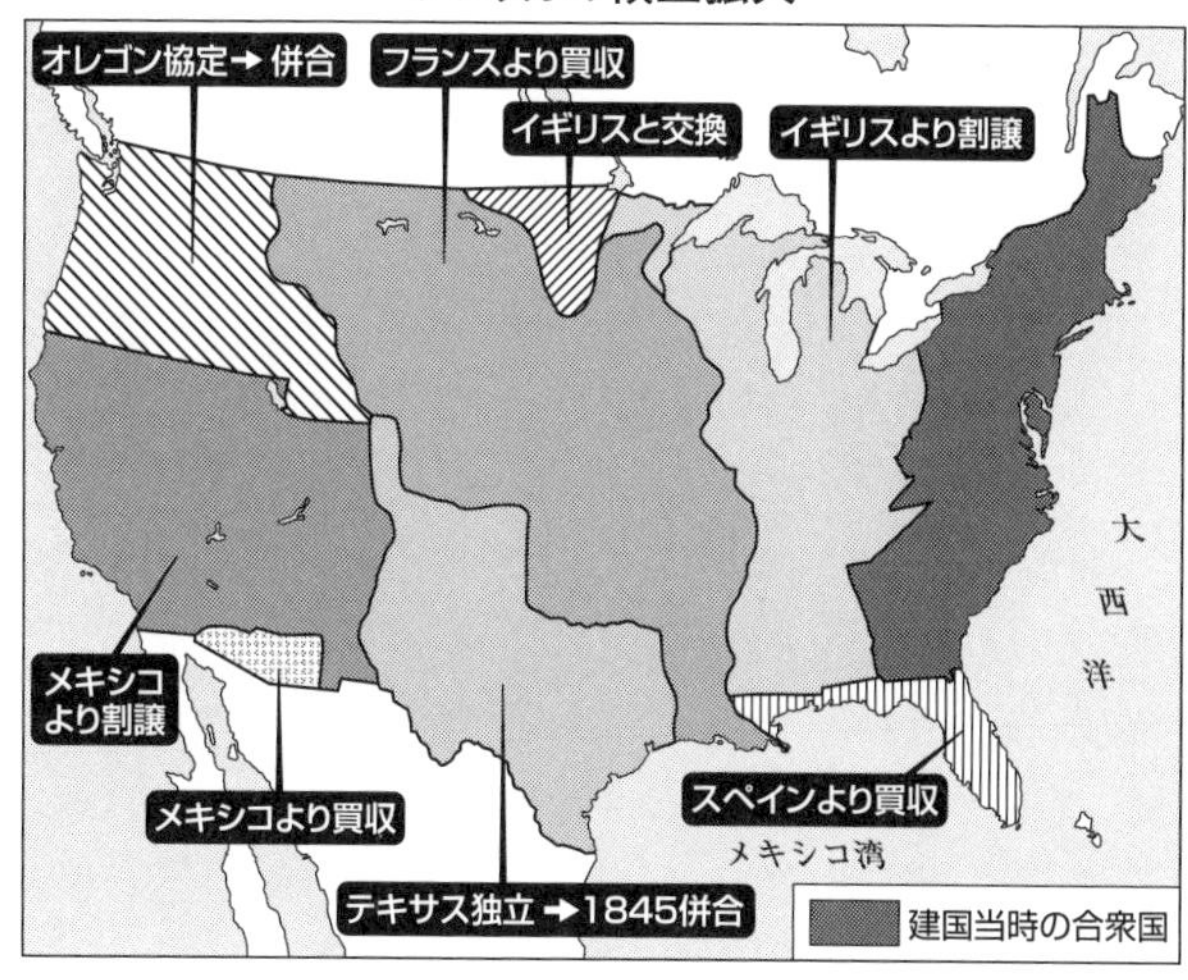

アメリカの拡大を、アメリカ人たちは「マニフェスト・ディスティニー（明白な天命）」と呼んできた。天から与えられた使命であり、膨張と併合は正しいこととされたから、アメリカは何ら罪悪感なく、インディアンを追い払い、膨張をつづけられた。

アメリカの「マニフェスト・ディスティニー」は、北米大陸にアメリカ以外の強大な国家をつくらせない宣言のようなものだ。1775年、アメリカのイギリス植民地が独立戦争をはじめたとき、アメリカ大陸にはフランス、スペインの植民地もあった。イギリスの植民地も残っていた。

アメリカが恐れたのは、フランスやスペインの植民地が北米大陸に残りつづけ、いずれ新たな独立国となることであった。あるいは、ヨーロッパ諸国が新たに植民をはじめ、「国」をつくることであった。そうなれば、北米大陸は完全に群雄割拠の時代となる。それを防ぐためにも、アメリカは「マニフェスト・ディスティニー」を唱え、領域を拡大しつづけるしかなかったのだ。

アメリカの「マニフェスト・ディスティニー」を支えたのは、幸運である。イギリス、フランス、スペインが、アメリカに保持していた広大な植民地を売ってくれたからだ。ヨーロッパの列強はナポレオン戦争にも巻き込まれたこともあって、アメリカ植民地経営どころではなかった。ヨーロッパ諸国がアメリカからさっさと立ち去ってくれたことで、アメリカの拡大に対立する勢力はインディアン以外にはほとんどなく、アメリカは急速に拡大しえた。ゆえに、アメリカは分裂しない国になりえたのだ。

アメリカの土地獲得の最終局面は、メキシコとの戦争である。19世紀、スペインから独立したメキシコは、いまのテキサス州やネヴァダ州、ニューメキシコ州などを領有していた。アメリカはメキシコを打ち破ることで、これらの土地をメキシコから受け取り、メキシコをメキシコ高地まで押し込めたのである。

●アメリカは何のために南北戦争をしたのか？

連邦国家ながら、統一国家として機能しているアメリカ最大の危機は、1860年代の南北戦争だろう。南北戦争は、よく「奴隷解放を求めたアメリカ北部と、奴隷容認のアメリカ南部の戦い」といわれてきた。けれども、実態はアメリカ南部連合国のアメリカ合衆国からの離脱・独立を阻止しようという戦いだ。

その背景には、ヨーロッパ諸国との関わりをどうするかという南北の対立があった。イギリスをはじめとするヨーロッパ諸国との経済関係を深めようとしたのは、南部連合国である。アメリカ南部では温暖な気候を利用して、綿花、タバコなどの大規模プランテーションが発達していた。プランテーションの生産を支えていたのは、黒人奴隷たちである。

南部のプランテーション経営者たちは、綿花やタバコをヨーロッパ諸国に売りつけて、大きな利益をあげてきた。その利益で、産業革命下のイギリスから工業製品を買っていた。南部経済は、イギリス経済に依存するところが強い。イギリスとの交易を増大させるためにも、自由貿易を唱えていた。

南部のイギリス依存を嫌悪したのは、アメリカ北部である。もともと、アメリカは北部の州を中心に、イギリスから独立した国である。そのかつての支配者イギリスの影が南部に伸びていることは、連邦国家の分裂を招く恐れがあった。

アメリカ北部では、イギリス経済に依存する必要もなく、それどころかイギリスの工業をライバル視するようになっていた。北部では１８４０年代あたりから産業革命が進行、彼らの工業製品はイギリスと競合していた。北部は、イギリスの工業力を肥やす南部のあり方を嫌悪さえしていた。北部はイギリス製品に高い関税を課す保護貿易主義を掲げ、自由貿易をうたう南部を押さえつけようとした。

それは、アメリカをふたたびイギリスの影響下に置くか、置かないかの対立であり。南部連合は独立し、イギリスと組もうともした。南部が独立すれば、アメリカは割れ、南北のアメリカ国家が安全保障を追求し、合い争うことになる。そこから、リンカン大統領は南部の完全統合に出た。これが、１８６１年から１８６５年の南北戦争となる。

南北戦争にあって、リンカン率いる北部の最大の懸念は、イギリスやフランスが南部支持に回り、アメリカの分裂を後押しすることであった。当時、皇帝ナポレオン3世下のフランスは、メキシコに介入、軍隊を派遣していたから、その危険はあった。

そこでリンカンが採用したのは、１８６３年の奴隷解放宣言である。19世紀、自由平等思想は普遍的な概念として広がりはじめ、奴隷解放宣言はその自由平等思想に即していた。

アメリカに意地悪を考えるイギリスとて、普遍的な理念を掲げる国に介入しがたい。リンカンはイギリス、フランスの介入を防止し、南部を孤立させた。こうして、北部が南部に勝利し、アメリカの統一は維持されたのだ。

それは、南部の徹底的な焼き払いを伴いもした。北軍は南軍の街を次々と焼き払いながら、進撃していった。北軍兵士たちが、南部の黒人奴隷制度を生で初めて見て、嫌悪したからだともいわれる。と同時に、リンカンの連邦政府は、南部が二度と独立に向けて立ち上がらないよう、南部の力を弱めようとしたからでもある。

実際、南北戦争の戦禍(せんか)によって南部は荒廃、それまで豊かな地域であった南部は一転、停滞地域となってしまった。そこまでの犠牲を払ってでも、アメリカには統一の意味はあったのだ。

●南部を完全屈伏させた海上封鎖作戦

南北戦争で、北軍が南部連合を打ち破ることができたのは、ひとえに、もともと有していた潜在的な軍事力の差である。北軍は南部連合より多くの兵を集めることができた。と同時に、北軍が南部連合を海上封鎖に追い込めたからだ。

南部連合は、イギリスをはじめ海外諸国との交易に依存している。主力輸出品である綿

南北戦争の海上封鎖線

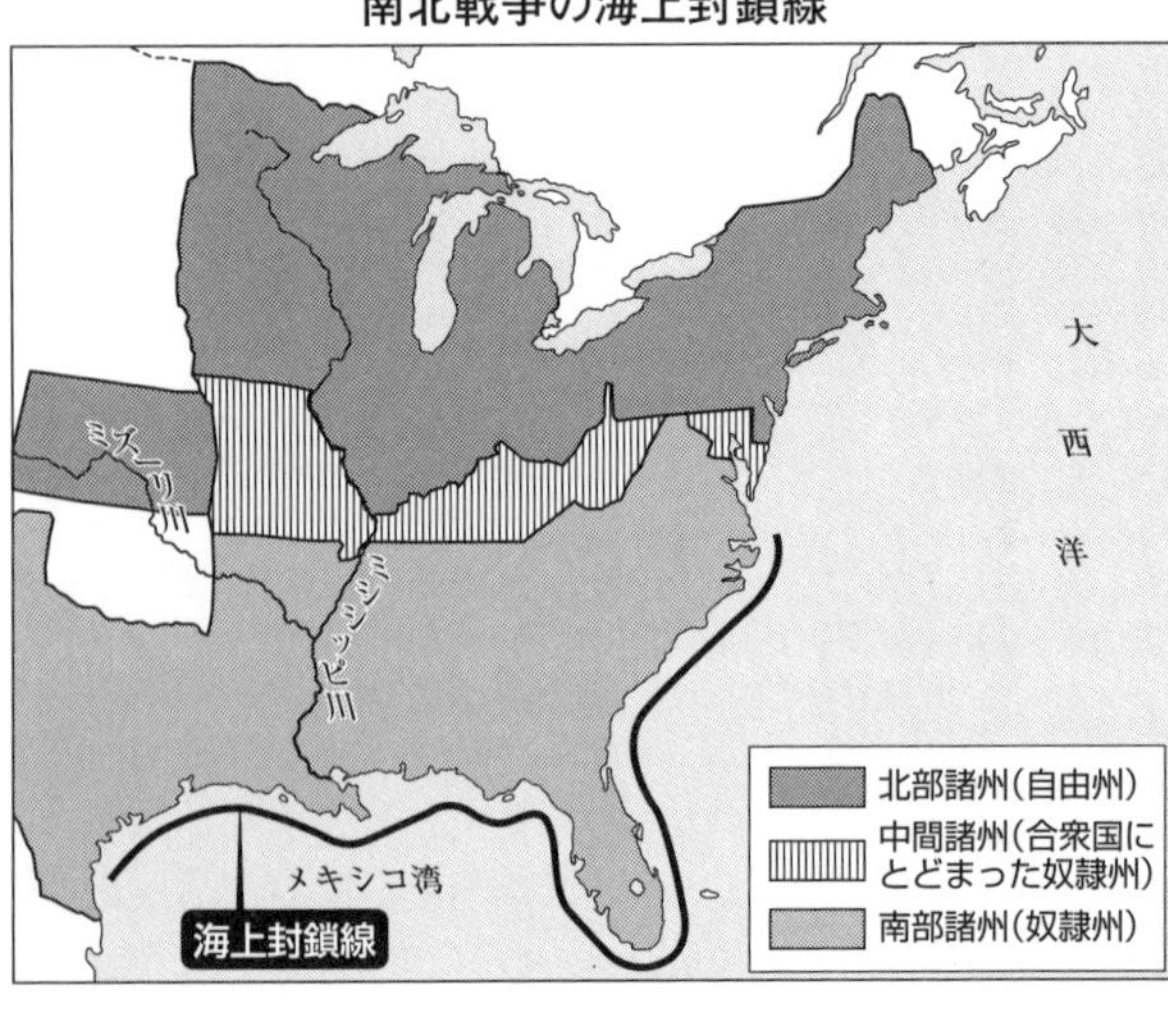

花やタバコを輸出できなくなったなら、南部経済は干上がる。南部の住人の戦意は挫(くじ)かれ、南部はおのずと屈伏するだろう。

そのために、南部の船舶を外洋に向かわせない海上封鎖が必要であった。南部連合諸州の海岸線から、アメリカ大陸中央を縦断するミズーリ川、ミシシッピ川沿岸にかけてを、北部の船舶で埋めつくし、南部の船舶を監視・封鎖してしまう。地図上ではその封鎖線が、くねくねと地を這(は)う蛇のように見えたから、「アナコンダ作戦」とも呼ばれた。

「アナコンダ作戦」による海上封鎖は大がかりなもので、机上の空論かに思えたが、北軍は時間をかけてこれを実行に移していった。海上から、河川までの封鎖が達成されると、南部経済は実際に干上がる。輸入品も少なくなり、コーヒー1杯飲むにも大きな対価を払わねばならないほどであった。

南部連合は北軍の「アナコンダ作戦」に屈していくが、リンカンをはじめとする北軍指導者は、アメリカ合衆国の地政学的な特徴をよく理解していたようだ。アメリカの内陸河川は、重要な輸送ルートになっている。内陸河川で船舶の動きを維持できたなら、南部連合もたんなる海上からの封鎖に対抗できたかもしれない。けれども、最大の内陸河川であるミズーリ川までも封鎖されたことで、南部連合は音(ね)をあげるしかなかった。

こうしてアメリカは海上封鎖を達成した数少ない国になり、20世紀にはこれを日本にも実行し、完全屈伏させている。

アメリカが恐れる地政学的弱点

●なぜパナマ運河は、アメリカの世界戦略を大きく変えたのか?

アメリカの地政学上の弱点は、中南米諸国の存在である。南北アメリカ大陸で、アメリカに比肩(ひけん)しうる国はいない。長大な国境線で接するカナダは、面積では世界第2位を誇り、アメリカを上回る。けれども、人口となるとアメリカの3億3000万人に対して、カナダはおよそ10分の1の3700万人程度でしかない。カナダではアメリカに圧力をかけられず、アメリカはカナダとの国境線には州兵を置くくらいで足りている。

中南米にも、アメリカに対抗しうる国はない。ブラジルは「未来の大国」といわれながらも、その「未来」がなかなかこない。

中南米にはアメリカに対抗しうる国はないながらも、アメリカの柔らかい脇腹でもある。ここにヨーロッパをはじめユーラシアの強国が浸透し、反アメリカを掲げるなら、アメリカの足元は危うくなる。アメリカは「裏庭」である中南米に忙殺され、世界を見据えられなくなるのだ。

ゆえに、アメリカは長くモンロー主義を携（たずさ）えつづけてきた。ヨーロッパの勢力に南北アメリカ大陸に口出しさせない代わりに、アメリカもまたヨーロッパに介入しない歴史があった。モンロー主義は、いわばアメリカの築いた「見えない人工障壁」なのだ。

アメリカが中南米に神経質になるのは、とくに中米が「世界帝国」アメリカを支える要地だからだ。20世紀初頭、アメリカは、太平洋は大西洋をつなぐパナマ運河を開通させ、その運営権を得た。それは、アメリカの安全保障と繁栄に画期的な出来事であった。

アメリカと中米の国々

パナマ海峡開通以前、大西洋から太平洋へと艦隊を移動させたかったら、南米大陸南端のマゼラン海峡を通過する、大回り航路となった。それ以外なら、アフリカ大陸の喜望峰からインド洋廻りとなる。幕末の日本に来航したペリーの黒船は、大西洋から喜望峰廻りでやってきている。

パナマ運河のない時代、アメリカの太平洋の守りは脆弱ともいえた。主力艦隊は大西洋にあり、太平洋にはまともな艦隊がなかった。当時のアメリカでは、太平洋専門、大西洋専門の巨大な艦隊を運用できなかった。かりに太平洋で日本海軍がアメリカの植民地フィリピンを脅かすようなことがあるなら、主力艦隊を大西洋からマゼラン海峡を経て、アジアへ向かわせることになる。その時間ロスはフィリピンの危機を深め、さらには大西洋の守りを手薄にする。

ここにパナマ運河が誕生するなら、どうだろう。アメリカは大西洋の主力艦隊を太平洋に急行させられる。もちろん、交易ひとつをとっても、パナマ運河があれば、物流はよりスムーズになる。パナマ運河は、アメリカの「生命線」ともいえるのだ。

アメリカはそのためにパナマ運河を建設、その管理権を得たのだ。パナマ運河を建設するためのアメリカの手法は、手荒であった。当時、パナマはコロンビアの一部であったが、コロンビアから引き剝がし、わざわざ独立させたのである。小国パナマなら、アメリカのいいなりだった。

●アメリカが中南米で「棍棒外交」にはしる理由

アメリカは、パナマ運河を建設していく過程で、中米への監視を強化している。中米のニカラグア、ハイチ、ドミニカには軍事干渉までおこない。反米に回りそうな政権を覆してきている。それは、アメリカの「棍棒(こんぼう)外交」とも呼ばれてきた。

かりに中米に反米に回りそうな政権が生まれるなら、反米政権が連鎖して誕生しかねない。すると、パナマ運河の運営に支障もきたしかねない。アメリカは、これを恐れた。

アメリカの「棍棒外交」は、第2次世界大戦ののちも変わらない。1983年にはグレナダに侵攻し、親米政権を誕生させている。1989年にはパナマに侵攻、独裁者ノリエガの政権を打ち倒してもいる。

アメリカの中米に対するあり方は、粗暴・手荒でさえある。そのあたりは、現代の中国とも通じる。中国は住人を虐殺さえするが、アメリカは国を滅ぼさず、政権を転覆させるところで満足するのが違いだ。ともに「裏庭」と思っている地域が、反米、反中に動くのをゆるせないのだ。

●なぜ「キューバ危機」が起きたのか？

アメリカはモンロー主義に則って、手荒な手法を使いながらも、中南米を自国の勢力圏にしようとしてきた。けれども、すべての中南米諸国で成功したわけではない。

中南米諸国には、大国としてときに横暴にふるまうアメリカに対する反発心がある。加えて、文化の違いからくる違和感が、アメリカと中南米諸国にはある。アメリカ建国の中心となったのは、イングランドの植民地である。以来、アメリカは英語話者が圧倒的に多く、アングロ・サクソン色の濃い国家になっている。

一方、ブラジルを除く中南米諸国の多くはスペインの植民地を経験し、住人たちはスペイン語を話し、スペインのラテン文化の影響も受けている。そのため、国のあり方や考え方がアメリカと中南米ではかなり異なり、アメリカへの反発の素地になっている。

中南米諸国がアメリカに盾ついた典型が、キューバである。キューバは、フロリダ海峡を挟んで、アメリカのフロリダ半島と向かい合った島国だ。海峡の距離は150キロほどしかなく、そのためアメリカはキューバを従属国のように扱ってきた。けれども、キューバはアメリカに従属しないどころか、アメリカに強く反発、ソ連と近づいた。それが、1962年のキューバ危機となる。

キューバ危機は、ソ連がキューバにミサイル基地を設置したことにはじまる。アメリカに反発するキューバのカストロが、フルシチョフのソ連に接近、ソ連はこのチャンスを利用、アメリカに切っ先を突きつけようとしたのである。

キューバ危機は、米ソのチキンゲームの様相を呈した。ケネディ大統領のアメリカは、キューバを海上封鎖してキューバを締め上げにかかったが、キューバもソ連も譲歩しない。あわや核戦争の一歩手前となったところで、先に譲歩したのがケネディ大統領だったようだ。ケネディはキューバに侵攻しないという条件を提示し、ソ連のミサイル基地を撤去させている。

キューバ危機が起きたのは、アメリカがキューバにリスペクトがなく、たんなる従属国として扱おうとしてきたからだ。19世紀、キューバはスペインからの独立を目指すが、キューバを巡っては、1898年に米西（アメリカ・スペイン）戦争が勃発する。アメリカはスペインを下し、キューバを独立させるが、それは仮の姿であった。実質、キューバの政治・経済を支配したのはアメリカである。

アメリカのキューバ支配に武装闘争で対抗したのが、カストロやチェ・ゲバラらだ。1859年、カストロによってキューバは独立を果たしたが、アメリカとの対決はこれで終わらなかった。カストロは、アメリカと同じ民主主義を唱えながらも、キューバにおけるアメリカの国益を容認しなかった。カストロはアメリカ企業を国営化し、怒ったアメリカはキューバに経済制裁を科した。アメリカはキューバを孤立させ、屈伏させる戦略に出たのだが、このときキューバが接近したのがソ連である。

カストロは、もともと反共主義者である。しかしながら、反アメリカという一点では、ソ連と共通する。カストロはキューバを社会主義化してまで、アメリカに対抗した。

ここでケネディのアメリカが採用したのは、亡命キューバ人を支援してのカストロ政権転覆作戦である。反カストロの亡命キューバ人らをキューバのピッグス湾に上陸させるが、作戦は無残に失敗、ケネディ政権の威信を失墜させている。キューバ危機は、この事件をひとつのきっかけとしている。

●なぜアメリカ対キューバは、中国対日本の構図に重なるのか？

キューバがアメリカに盾突いたのは、地政学の考えからすれば、べつの見方もある。アメリカはユーラシア大陸に対しては海洋国家となるが、南北アメリカ大陸では膨張しやすい大陸型国家となる。海洋国家キューバは、その膨張を恐れる。

その意味で、アメリカとキューバの地政学的な関係は中国と日本の関係に似ている。キューバと同じ島国である日本は、大陸国家・中国の果てしなき膨張を恐れているように、キューバもアメリカの膨張的なあり方を嫌う。

しかも、キューバはカリブ周辺国では侮れない地位にある。キューバの面積は11万平方キロ程度だが、メキシコを除くなら、中米では大きいほうだ。韓国よりもその面積は大きいだけに、容易には屈しない。この点でも、日本と共通するところがある。

現在、アメリカとキューバは和解の方向にも向かっている。オバマ大統領時代、アメリカはキューバとの国交回復を宣言、オバマはキューバを訪問もしている。

けれども、アメリカとキューバの完全和解はありうるだろうか。日中友好がむずかしいように、アメリカとキューバも地政学的に友好のむずかしい関係にある。

●ロシアや中国には、アメリカの「モンロー主義」は通用しない

キューバ危機は、アメリカの地政学な弱点を突いたものであった。アメリカは南北アメリカ大陸では無敵であり、盟主のようにふるまってきた。それはモンロー主義という人工の障壁が機能してきたからだが、この人工障壁はユーラシア大陸のなかでヨーロッパ相手にしか通用しなかったのだ。

つまり、ロシア（ソ連）、中国というユーラシアの大国は、「モンロー主義」につき合う必要はないと考えている。アメリカがさんざんユーラシア大陸に介入するなら、自分たちもアメリカ大陸に浸透してもゆるされるだろうとも見ている。

ソ連がモンロー主義の理解者であるなら、キューバにおけるミサイル危機は起きなかっただろう。キューバは、孤立したままアメリカに屈伏していたかもしれない。けれども、ソ連はモンロー主義に配慮することなく、冷戦下のライバル国アメリカの足を引っ張ろうと、キューバと結んだのである。

ここに、アメリカのモンロー主義が完全に崩壊したといっていい。アメリカに敵対するユーラシアの大国が、中南米の諸国と結ぶなら、アメリカを揺るがすことができるというモデルを提示したのである。

●ベネズエラのチャベス政権がとった、地政学的戦略とは?

1962年のキューバ危機は、中南米諸国にとっては、ひとつのモデルとなった。政体を変革させれば、アメリカに対抗でき、アメリカの軛(くびき)から脱せるやもしれないのだ。以後、中南米では武装ゲリラによる闘争がはじまり、各国の政権は不安定になる。そんななか、「希望の星」となるかに見えたのが、チリのアジェンデ政権である。アジェンデ政権は社会主義を目指し、キューバにつづこうとした。

けれども、アメリカはこれをゆるさなかった。さすがに地域大国候補のチリ相手には、アメリカも手荒な真似はできない。そこでCIA(米中央情報局)を使い、アジェンデ政権を打ち倒し、ピノチェトによる軍事政権を樹立させている。

アジェンデ政権の崩壊は、ユーラシア大陸でアジェンデ政権をおおっぴらに支援する国がなかったからだ。アジェンデ政権は孤立させられ、窮(きゅう)してしまったのだ。

その後、20世紀末にベネズエラにチャベス大統領が現われる。キューバのカストロに影響を受けたチャベスは暴力によらず、民主的な選挙によって選出されている。チャベスは、反アメリカを掲げ、アメリカのブッシュ大統領を非難さえもした。

アメリカは、このチャベスのベネズエラを持て余した。アメリカは陰謀工作を使ってでも、チャベス政権を転覆させたかっただろうが、できないままであった。チャベス政権が、ユーラシア大陸の大国と通じたからだ。チャベスと通じたのは、中国やロシアである。さらに、アメリカと敵対していたイランもチャベスの味方となった。しかも、チャベスのベネズエラは同じ中南米諸国のキューバ、エクアドル、ボリビアなどとも組んだ。

結局のところ、アメリカはチャベス政権を潰せないままに終わっている。チャベス政権の登場は、アメリカのモンロー主義のバリアが機能していないことを物語りもしている。

とりわけ、中国にはモンロー主義は通用しない。

経済成長著しい中国にあるカードは、ふんだんなチャイナマネーである。もともと共産党の中国は貧しい時代から、自国の飢餓を省みず、アフリカ諸国などを支援、浸透を図ってきた。豊かになった中国には、あり余るカネがある。そのカネをもってして中南米に浸透するなら、ここに反米政権がいくつも誕生しておかしくないのだ。

当然、アメリカも経済支援によって中南米諸国を従属させたままにしようとするが、中国の野心はアメリカの中南米における安全保障を突き崩すことにある。アメリカの足元が親中国に向かうなら、もはやアメリカは東アジアで中国に対して強硬な戦略を採りつづけられない。中国は中南米を動かすことで、アメリカを崩し、アメリカを超える大国になろうとさえしているのだ。

チャベスのベネズエラは、彼個人の強烈な個性によるところも大きいが、いつまた第二、第三のチャベスが中南米に登場しないともかぎらない。中国は、そのための工作をつづけているにちがいない。

現在、中国が狙っているのは、中米のニカラグアでの大運河建設だ。中国が建設しようとしているニカラグアの運河は、パナマ運河を上回る規模となり、パナマ運河を航行不可能な大型船も通過できるようになる。中国の軍艦がカリブ海に進出することも不可能ではなくなり、中国は中米、カリブ海において大きな存在力を得られる。それは、アメリカの足元を崩していくことにもなるのだ。

日米戦争におけるソロモン諸島の特殊な地位

●なぜ日米戦争の事実上の「天王山」は、ソロモン諸島の戦いとなったのか?

南太平洋のソロモン諸島といえば、かつてはイギリスの植民地であり、いまは独立国となっている。そのソロモン諸島の中心にあるのが、ガダルカナル島だ。ガダルカナル島は日米戦争最初の激戦地となり、ソロモン諸島を巡る一連の消耗戦が日米戦争の帰趨を決したといってもいい。

日米戦争下、日本軍の太平洋での攻勢はガダルカナル島で止められる。一方、アメリカ軍はガダルカナル島を橋頭堡にして、日本をしだいに追い詰めていった。

ソロモン諸島が日米戦争の帰趨を決する地にさえなったのは、ここが東太平洋と西太平洋、さらにはオーストラリアの結節点となっているからだ。ソロモン諸島を確保できるかどうかが、攻勢に回るか、守勢に立つかの焦点にさえなる。

太平洋で、勢力圏を争うとき、重要なのは拠点となる島の確保と支配だ。勢力圏は島づたいに広げることになり、そうした拠点づくりに向いている島々はソロモン諸島を含めて南半球にある。

西太平洋の勢力が南半球にあって、インドネシア、ニューギニア、ニューブリテン島と押さえていくなら、次はソロモン諸島である。一方、東半球の勢力の場合、フィジー諸島、サモア諸島などからニューヘブリディーズ諸島（現在のバヌアツ）へ押し出し、つづいてはソロモン諸島となる。ソロモン諸島は、東太平洋と西太平洋の均衡点にあり、アジア圏

日米戦争時のソロモン諸島周辺図

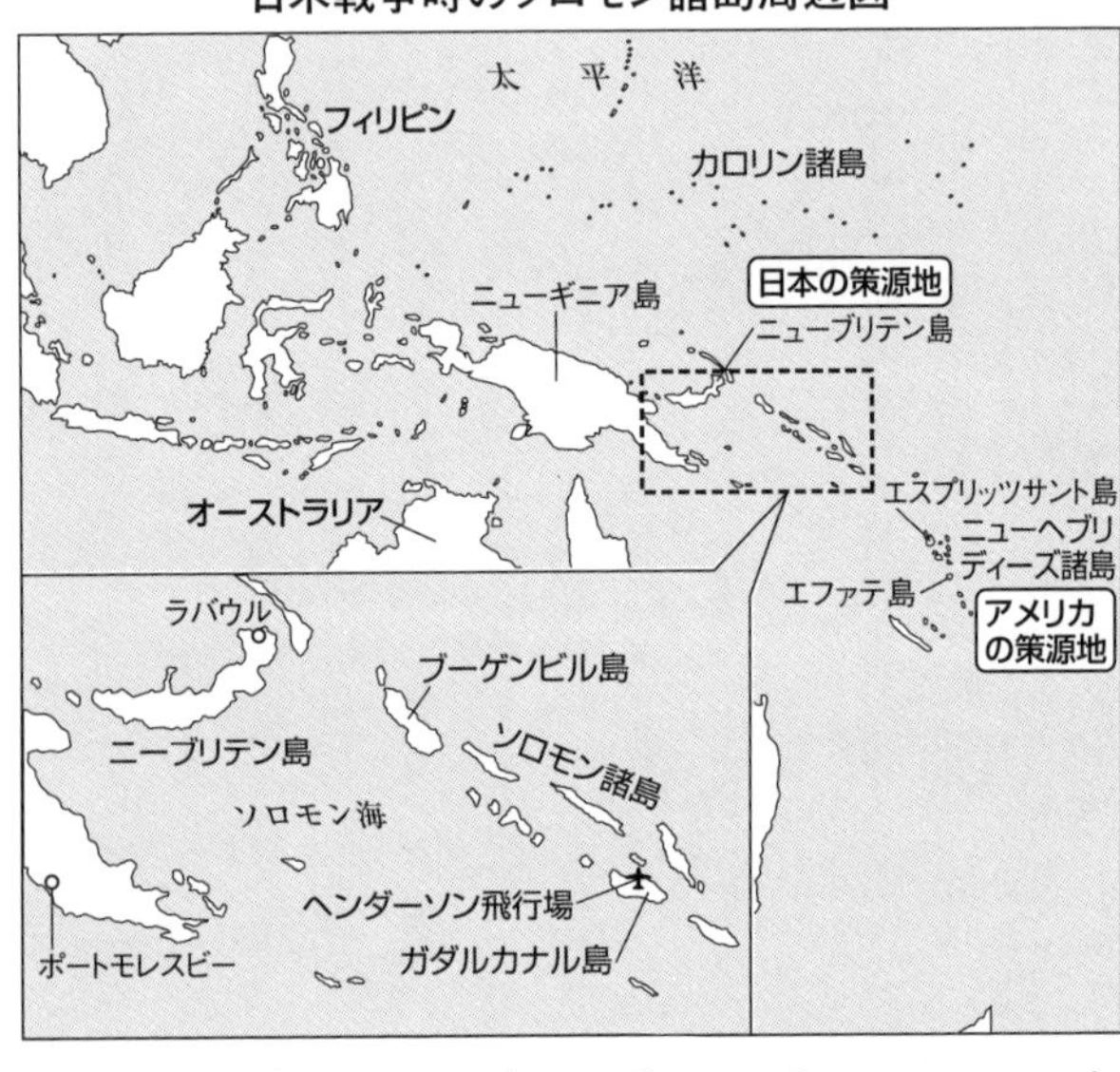

とメラネシアをはじめとする大洋圏がぶつかり合っている。

しかも、ソロモン諸島はオーストラリアの北東に位置し、オーストラリアの安全保障にとっても重要な地位にある。ここを奪われるなら、オーストラリアの動きはかなりの制限を受けてしまう。ソロモン諸島は、東太平洋（大洋圏）、西太平洋（アジア）、オーストラリアの３つの勢力が重なり合う要衝であった。

果たして、そのことを当時の日本の政治家、軍事指導者はどれだけ知っていたか。彼らからすれば、ソロモン諸島はアメリカとオーストラリアを分断するためのラインのひとつにすぎなかった。ソロモン諸島からさらに東へ進み、フィジー諸島、サモア諸島までを確保することで、アメリカとオーストラリアを分断するラインが完成する。ソロモン諸島のガダルカナル島は、そのためのとりあえずの前進基地程度の扱いであった。日本の政治家、軍人はその先の東の島々を見ていた。

そのためか、日本はソロモン諸島で想像をはるかに上回る一大消耗戦を強いられたにもかかわらず、局地戦のようにも見なしていたところがあった。日本海軍は巨大戦艦「大和」も投入しなかったし、空母部隊もガダルカナル島に対する直接攻撃を控えていた。

一方、アメリカ軍はなりふりかまわず総力で戦っていた。アメリカがソロモン諸島の地政学的な地位を日本以上によく知っていたからだ。ソロモン諸島を抜かれるなら、ニューヘブリディーズ諸島の戦いとなる。すでにアメリカはニューヘブリディーズ諸島を策源地とし、エスピリトゥサント島、エファテ島に基地を築いていた。アメリカ軍によるガダルカナル上陸作戦は、このふたつの島を起点にしていた。ガダルカナル島を日本軍に奪われるなら、ニューヘブリディーズ諸島の安全が怪しくなり、となるとより東方のフィジー諸島を策源地にしなければならなくなる。

逆に、ソロモン諸島を奪うなら、アメリカの西太平洋へ向けての攻勢がはじまる。そのために、アメリカ軍はもてる航空機、空母、戦艦、巡洋艦のすべてを繰り出し、ガダルカナル島の奪取と維持にかかったのだ。日本とアメリカにはソロモン諸島の重要性について認識に大きな開きがあり、その開きがソロモン諸島の戦いの帰趨を決めたといっていい。

●なぜ日本は、ガダルカナル島を海上封鎖できなかったのか？

ソロモン諸島を巡る戦いで、日本軍が敗れたのは、戦力の逐次投入をつづけてきたからだとよくいわれる。たしかにそうなのかもしれないが、それ以上に日本海軍に海上封鎖の思想がなかったからだろう。

一方、アメリカ海軍には海上封鎖の思想があった。その差が、ソロモン諸島の戦いの明暗を分けたのではないか。

ガダルカナル島の攻防戦は、その典型だ。ガダルカナル島の戦いでは、日本兵、アメリカ兵がガダルカナル島内で睨み合いをつづけた。日米双方の戦力維持、向上に必要だったのは、後方からの兵力と物資の支援であった。

ガダルカナル島を巡る戦いでは、アメリカ軍は海上封鎖に出た。海上封鎖の主役となったのは、ガダルカナル島に造成されたヘンダーソン飛行場である。ヘンダーソン飛行場にあるアメリカの航空部隊はガダルカナル島近海をつねに監視、日本からの輸送船を襲撃した。この妨害により、日本は大規模な輸送船団をガダルカナル島へ送り込めなかった。アメリカは、飛行機の活動できる昼の間、ガダルカナル島の海上封鎖に成功していたのだ。

ただ、当時の航空機は夜間の活動能力がない。ガダルカナル島の海上封鎖は夜には解かれたも同然だったから、日本は夜間に駆逐艦や潜水艦で小型の輸送を繰り返すしかなかった。その輸送は、「ネズミ輸送」とも「モグラ輸送」とも揶揄(やゆ)された。昼間に大型の輸送ができないため、ガダルカナル島の日本兵は窮(きゅう)するばかりであった。

この状況を打開するために、日本海軍が何をしていたかというと、ニューブリテン島のラバウル航空基地からヘンダーソン飛行場への攻撃である。同飛行場さえ叩き潰せば、制空権を得られ、昼間にでも大型輸送船をガダルカナル島へ送り込める。それもひとつの手法であったろうが、日本海軍はヘンダーソン航空基地を破壊できないままであった。

結局のところ、日本海軍はガダルカナル島の海上封鎖を思いつかないままだった。アメリカ軍がガダルカナル島で健在なのは、ヘンダーソン飛行場があるからだけではない。ニューヘブリディーズ諸島の基地から、絶えず物資が送り込まれているからだ。このニューヘブリディーズ諸島からの輸送船を日本が襲撃するなら、ガダルカナル島のアメリカ軍への補給は細る。燃料が不足するなら、頼みの航空機もヘンダーソン飛行場から飛び立てず、日本の輸送船団を攻撃できなくなる。日本は大規模な輸送船団をガダルカナル島へ送り込めるうえ、物資の窮したアメリカ軍を圧倒もできるだろう。

けれども、その日はこなかった。このころ日本海軍には手持ちの潜水艦がかなりあった。潜水艦をガダルカナル島とニューヘブリディーズ諸島の間にあるサンタクルーズ諸島周辺に潜ませ、アメリカの輸送船団を攻撃するという手段があったが実行されなかった。ほかに、高速戦艦部隊をサンタクルーズ諸島周辺に遊弋させ、アメリカの輸送船を狙わせる手段もあったろう。けれども、日本海軍の命令した潜水艦部隊の任務は、アメリカの空母、戦艦を仕留めることであり、輸送船団を撃沈することではなかったのだ。

余談だが、アメリカの戦艦「アイオワ」級は、よく日本の巨大戦艦「大和」のライバルとして建造されたといわれる。だが、これは、違う。「アイオワ」級の目的は、日本の高速戦艦「金剛」級に対抗するためであった。日米戦争下、「金剛」級戦艦が太平洋を遊弋、アメリカの輸送船団を狙うなら、アメリカ軍の作戦は寸断されもする。アメリカの既存の戦艦は低速であり、「金剛」級を追尾できないから、「金剛」級はやり放題となる。そのために、アメリカは、「金剛」級戦艦よりも高速な「アイオワ」級を計画したのである。

「金剛」級戦艦は海上封鎖作戦に適した戦艦であったが、日本はどういうわけか、その「金剛」級をガダルカナル島ヘンダーソン飛行場砲撃作戦に投入している。作戦は、アメリカ海軍の待ち伏せもあって失敗、日本は「金剛」級の「比叡」「霧島」を失っている。

●空母を犠牲にしてでもガダルカナル島の海上封鎖を解きたかったアメリカ

ガダルカナル攻防戦にあって、唯一、日本が優勢になるかに思えたのは、日本海軍の空母部隊が同島の東方を遊弋しはじめた時期だ。このとき、ガダルカナル島の海上封鎖が有効になっている。アメリカは日本の空母部隊の襲撃を恐れ、輸送船団をガダルカナル島へ送り込めなくなっていた。ヘンダーソン飛行場の維持もむずかしくなりはじめていた。日本海軍が意図的に海上封鎖をおこなっていたかどうかはともかく、このころが、アメリカにとってもっとも危険な時期であった。

この危機にアメリカ空母部隊はあえて日本空母部隊とサンタクルーズ沖で対決、ほぼ相討ちとなることで、日本の海上封鎖を粉砕している。アメリカにとっても、空母は虎の子だが、虎の子を差し出しても、ガダルカナル島の海上封鎖を解きたかったのだ。結局、ガダルカナル島を海上封鎖できなかった日本軍は、同島を撤退するよりなかった。

日本がいかに海上封鎖の意味を知らなかったかは、ソロモン諸島の戦いを扱った本を数冊、パラパラめくれば、すぐにわかるだろう。ソロモン諸島を中心とした地図には、日本のラバウル基地が記載されていても、アメリカ軍の策源地・ニューヘブリディーズ諸島の存在はほぼない。これでは勝てない。

ただ、ガダルカナル島の戦いは、ソロモン諸島を巡る戦いの第1ラウンドにすぎない。その後、1943年のほぼ1年間、ソロモン諸島を巡る戦いはつづく。アメリカはガダルカナル島を起点にソロモン諸島の西方にある小島をひとつずつ奪取し、ここに航空基地を築いていく。それは、日本軍の航空機の襲撃と戦いながらの丹念な前進であった。

この一連の戦いでも、日本には海上封鎖の概念がなかったから、次々と島をアメリカ軍に明け渡していく。アメリカ軍がソロモン諸島のもっとも西にあるブーゲンビル島にまで基地を築いたとき、ついに日本のラバウルに対しての本格的な空襲が可能になった。

1944年初頭、ラバウルを巡る航空戦によって、日本のラバウル航空部隊の消耗が限度を越えそうになる。日本は耐えきれず、ラバウルにあった航空部隊を後方のトラック島に移す。こうしてラバウルは無力化し、アメリカはソロモン諸島を完全に確保することになったのだ。アメリカの大攻勢はここからはじまり、日本は西太平洋の島嶼（とうしょ）を次々に奪われ、まっしぐらに敗北の道へと進んでいく。

●なぜニューギニアやソロモン諸島を、オーストラリアは放置できないのか？

オーストラリア大陸にあるオーストラリアは、先進国でもあれば、資源大国でもある。しかも、ほとんど攻められたことがなく、長く安全保障に神経質になることはなかった。イギリスがシンガポールを根拠にしていた1942年までは、イギリス連邦の一員であるオーストラリアは、その安全保障をシンガポールに委(ゆだ)ねていればよかった。

ただ、その安全保障は西太平洋に覇権国家が誕生するようになると、ぐらついていく。オーストラリア自体が侵略を受けることはなくとも、オーストラリアの北方に位置するニューギニア島、ソロモン諸島が海洋覇権国家の影響下に置かれるなら、オーストラリアは覇権国家と真正面から向き合わねばならなくなるからだ。

じつのところ、ニューギニア島、ソロモン諸島はオーストラリアの長く盾でありつづけてきた。熱帯雨林に覆われたニューギニア島、ソロモン諸島は、酷暑、かつマラリアの猖獗(しょうけつ)を極める厳しい自然環境下にある。温暖な気候に慣れた入植者を、厳しい自然がはねのけ、追い返してしまうのだ。ここに軍事基地を造成し、本格的に浸透しようという勢力など現われないと考えられてきた。

けれども、西太平洋に海洋覇権国家が誕生するなら、話は違ってくる。西太平洋の覇権国家は、自らの覇権域拡大の欲求にかられ、ニューギニア島、ソロモン諸島を確保したがる。ニューギニア、ソロモン諸島に浸透するなら、そこから先、東太平洋に浸透しやすい。あるいは、ここを拠点に東太平洋の覇権国家アメリカに対抗もできる。

その第一弾が、1941年からの日本だった。大東亜共栄圏を唱えた日本は、アジアの解放を叫び、アメリカやイギリス、オランダなどが統治するフィリピン、マレーシア、インドネシアなどを制圧、アメリカ、イギリス、オランダを叩き出した。イギリスのシンガポール要塞も、日本軍の前に陥落、オーストラリアは後ろ盾を失った。

東南アジアを確保した日本の主敵は、アメリカである。日本はアメリカとオーストラリアの連携を分断するために、ニューブリテン島のラバウルに基地を置いた。ラバウルは2方面作戦の基地でもあった。かたやソロモン諸島からフィジー諸島、サモア諸島に東進するための、かたや南のニューギニアに浸透するための基地である。

オーストラリアにとって、ラバウルの日本軍基地はかつてない脅威であった。日本軍がラバウルを起点に、ニューギニア、ソロモン諸島を奪うなら、オーストラリアは強大化した日本と正面から対峙しなければならない。頼みであるはずのイギリスは、シンガポールを失ったうえ、ヨーロッパではドイツの攻勢を受けている。オーストラリアにとって最後の頼みの綱は、アメリカ軍のみとなった。

以後、オーストラリアはイギリスではなく、アメリカに安全保障を委ねるようになる。オーストラリアは、イギリス連邦でありながらも、アメリカに従属する国のひとつとなったのだ。

●ニューギニア攻防戦を分けた、日米の地政学観の相違

ソロモン諸島、ニューギニアを巡る戦いのうち、ソロモン諸島ではアメリカ海軍が日本に立ち向かった。ニューギニア方面では、オーストラリア軍とアメリカ軍が日本に対抗した。ニューギニア島の戦いは、ニューギニアの地勢をより知悉した者が制することになる。ニューギニアは熱帯密林に覆われ、その東西に険しい山脈が横たわる。これをいかに克服するか、避けるかの戦いであった。

日本が狙ったのは、ニューギニア島の南の要地ポートモレスビーの攻略である。ポートモレスビーには強力な航空基地があり、ここから日本のラバウル基地攻撃のための航空機が飛び立った。ラバウルを守るためにも、ポートモレスビーの攻略は必要であり、日本陸軍はニューギニア島北岸に上陸したのち、オーエンスタンレー山脈越えのポートモレスビー攻略を計画した。

その計画は、あまりに無謀であった。オーエンスタンレー山脈を越えるには、十分な装備と補給が必要だったが、日本にはその準備がなかった。ポートモレスビー攻略作戦は途中で挫折、悲惨な撤退戦となった。

一方、アメリカのマッカーサー率いる陸軍は、ニューギニア島の北岸の要地に上陸、上陸地点を少しずつ西に動かしていった。アメリカはジャングル深くでの戦いをできるだけ避け、補給の得られる海岸線周辺の確保に終始した。おかげで、兵力をむやみに損耗することなく、日本軍を退けつづけた。

アメリカ軍はニューギニア北岸をしだいに西進、ついにニューギニア島西北に浮かぶビアク島を奪取した。ビアク島まで到達すれば、大型爆撃機によるフィリピン空襲も可能になる。アメリカはニューギニアを奪うことで、日本を追い詰めていったのだ。

こうしてアメリカ軍がニューギニアから日本軍を駆逐したことにより、オーストラリアの危機は去る。ただ、日本のニューギニア侵攻は、オーストラリア最大の危機として国内に記憶されている。

●なぜ中国は、ニューギニアやソロモン諸島への浸透を図っているのか?

日米戦争ののち、ニューギニアの東半分はパプアニューギニアとして独立、西半分はインドネシアの領土となった。ソロモン諸島は独立した。オーストラリアは、オセアニア州、大洋圏の盟主となり、オーストラリアの安全は万全と思われた。

けれども、21世紀になって、オーストラリアの安全保障はぐらついている。中国が、新たに西太平洋での覇権国の地位を狙いはじめたからだ。

中国の海洋戦略は、東シナ海、南シナ海を自国の「内海化」することのみにとどまらない。そこから先、西太平洋に進出、西太平洋の覇権を得ようとしている。

中国の西太平洋戦略は、第2次世界大戦の日本の戦略をなぞったところがある。日米戦争を戦った日本は、ニューギニア、ソロモン諸島を押さえて、そこから先、フィジー諸島、サモア諸島までも確保、アメリカとオーストラリアを分断するつもりだった。中国もまた、パプアニューギニア、ソロモン諸島、フィジー諸島などへの浸透を図り、親中政権の誕生を画策している。

中国が日本の戦略をなぞっているのは、日本にできたことが中国にできないはずがないという思考からだろう。さらには、かつての日本の戦略がアメリカとオーストラリアの弱みを突くものであったとも見ている。

それは、軍事行動こそ起こさないものの、中国の「柔らかな侵略」といっていい。日本

中国の西大平洋戦略の標的となる国々

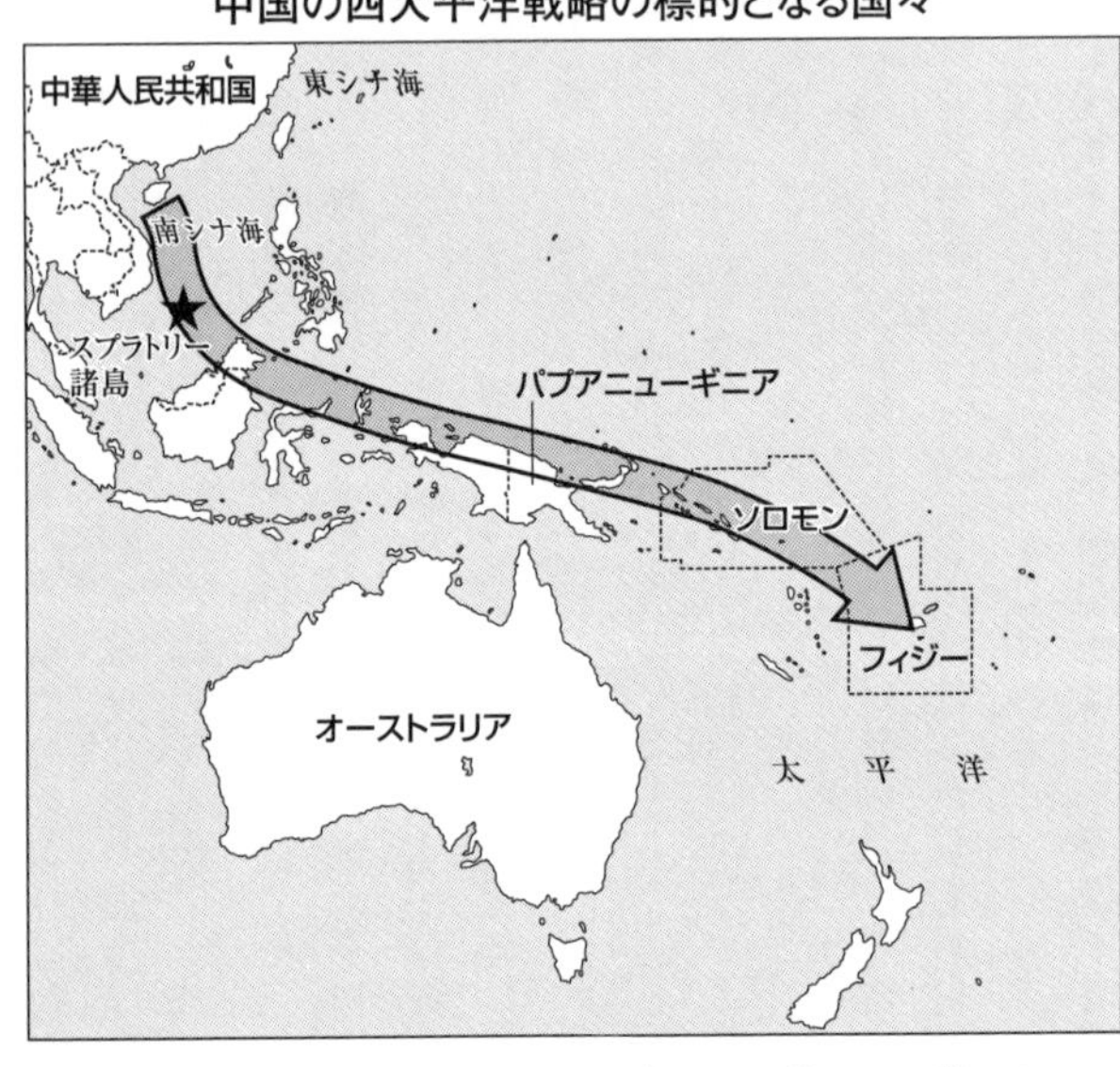

のような軍事力ではなく、チャイナマネーの力でパプアニューギニアやソロモン諸島を従えようとしているのだ。

中国がパプアニューギニアやソロモン諸島への浸透に成功しつつあるのは、ひとつにはパプアニューギニアやソロモン諸島がオーストラリアに反発しているからだ。オーストラリアとパプアニューギニアやソロモン諸島の関係が冷え込んでいる隙をついて、中国が浸透をはじめたのだ。

パプアニューギニアやソロモン諸島は、部族社会である。部族社会には部族社会の通念があり、民主主義と完全に相容れるわけではない。パプアニューギニアやソロモン諸島が民主政治を受け入れたといっても、部族社会の通念は残る。それもあって、政治家は腐敗しやすく、社会は混乱に陥りやすい。

オーストラリアは、パプアニューギニアやソロモン諸島の保護者としてふるまい、社会の混乱を収拾しようとしてきた。ただ、それは白人社会の通念の押しつけである。しかも、事と場合によっては、オーストラリアの行為は内政干渉とも受け止められる。パプアニューギニアでもソロモン諸島でも、オーストラリアのことを「正義をふりかざすだけで、部族社会の通念も理解できない国」と見なしていたのだ。

一方、中国はよけいなことはいわない。チャイナマネーを見せつけることで、政治家や住人を引き寄せられるのだ。中国にとっては、政治家の腐敗はどうでもいいことだし、むしろ、チャイナマネーで転ぶ政治家は中国にとって都合がいい。

こうして、中国がパプアニューギニアやソロモン諸島を押さえていくと、オーストラリアは中国の海洋覇権と正面から対峙していかなければならなくなる。しかも、現在、中国とオーストラリアの関係は悪化しているから、パプアニューギニア、ソロモン諸島は中国のオーストラリアを恫喝（どうかつ）する基地になりかねないのだ。

中国とオーストラリアの関係は、一時は蜜月であった。その間、チャイナマネーはオーストラリアの政財界や学術、マスコミの世界に浸透し、気がついたときには中国の影響力に愕然(がくぜん)とした。そこから先、オーストラリアは中国の脅威の本質に気づき、中国に対して民主主義国の通念で対したから、中国の反発を買ったのだ。

すでにオーストラリアは、ニューギニア、ソロモン諸島のみならず、メラネシアの島々に浸透している。中国によるオーストラリア包囲網はほぼ完成しつつあり、オーストラリアの安全保障は、日本軍の存在が強烈であった１９４２年、１９４３年レベルの危機に近づきつつある。

4章

ヨーロッパ・ロシアの地政学

イギリスは何を求めてＥＵ離脱を決断したのか？

ドイツの首都と、ポーランドの膨張主義の関係

●東西統一後のドイツの首都が東のベルリンになった地政学的理由

ドイツの首都といえばベルリンだが、ずいぶんと東に偏った都である。第2次世界大戦後、西ドイツと東ドイツに分裂していた時代、豊かな経済力を誇る西ドイツの首都はボンであった。ベルリンを首都とした東ドイツの経済は停滞していたから、東西ドイツの統一後、西ドイツのボンかどこかが首都になってもよさそうなものだった。けれども、統一ドイツの首都は、ベルリンと決まっていた。

ドイツがベルリンを首都としたがるのは、ベルリンが巨大な世界都市に育っていたからでもあろう。あるいは、統一ドイツの母体となったプロイセンの首都がベルリンであったという歴史的な経緯にもよるだろう。

けれども、それだけではなく、ドイツの置かれた地政学的な事情を睨んでのことでもある。ドイツがもともと東方にしか広がることのできない国家でもあれば、東方からの脅威を受けやすい国家でもあったからだ。

第2次大戦時の東西ドイツとポーランド

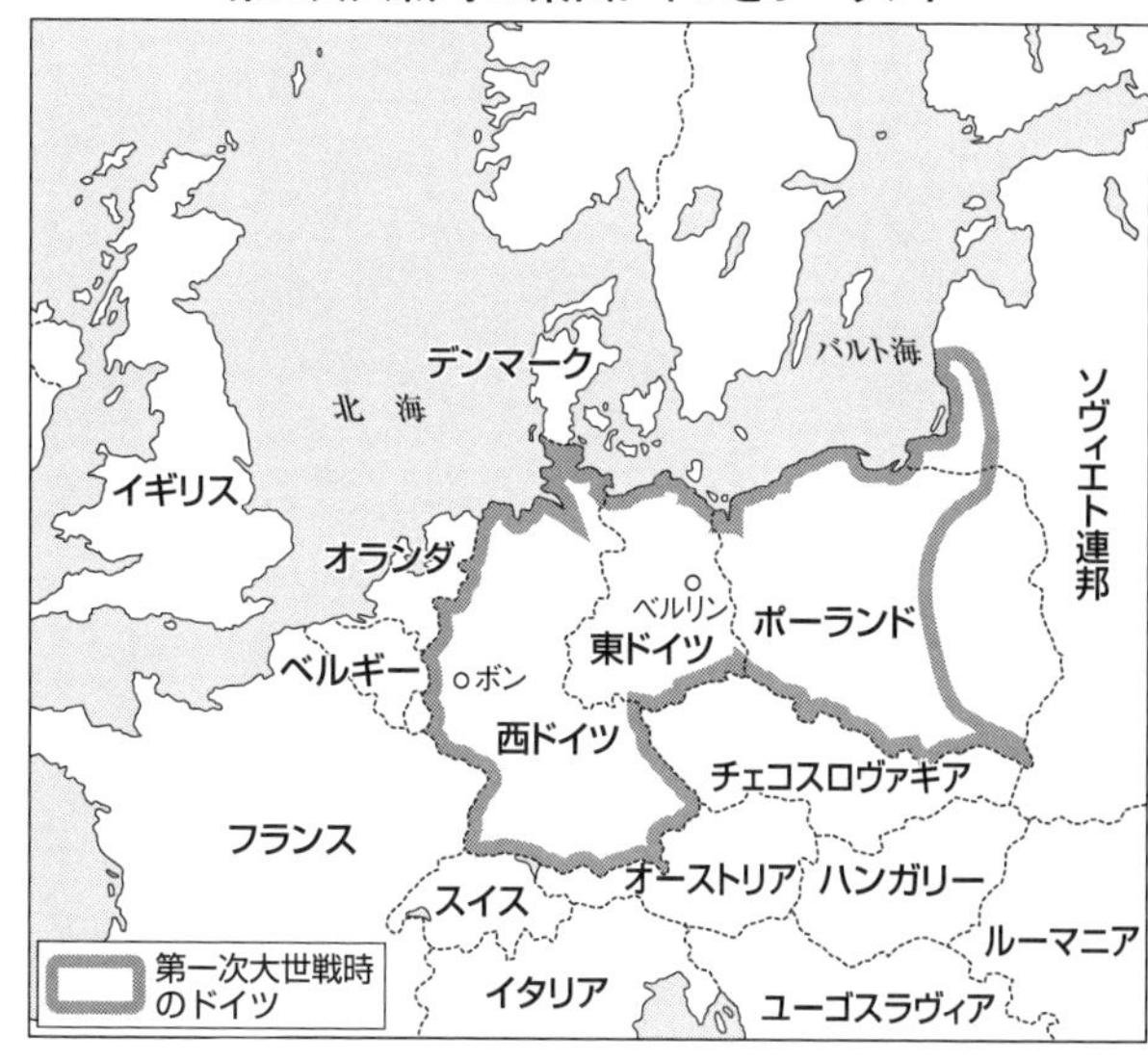

ドイツの南北西の国境は、ほぼ動かせない。北にはデンマークとバルト海があるだけで、南には険しいアルプスがある。西には強国フランスがある、アルザス＝ロレーヌ地方は、奪ったり奪われたりの関係だが、フランス方向に膨張することは至難である。一方、東となると国境線はいくらでも変更でき、実際に東の国境線はたびたび代わっている。

ドイツの東の国境線がしばしば変わるのは、ここが北ヨーロッパの大平原の中央に当たるからだ。ドイツの北側に広がる平原地帯は、西はオランダからベルギーへと延び、フランス北部へと至る。一方、東ではポーランド全域からベラルーシ、ウクライナ、ロシアにまで至る。平原には、オーデル川、ヴィスワ川といった自然国境になりそうな河川がいくつもあるのだが、河川は完全な障壁にはならない。川を越えてでも国境は動かせるのだ。

そのため、北ドイツ大平原は、375年にはじまるゲルマン民族の大移動、アッチラのフン族の西ヨーロッパ侵攻の通路にもなっている。黒海沿岸にあったゴート族はフン族に追われて北ドイツの平原を横切り、その一派はイベリア半島にまで達した。フン族もまた彼らを追いかけるように、北ドイツ平原を疾走、現在のフランスにまで至っている。

このように集団、軍隊の移動の自由な北ヨーロッパの平原があるゆえに、ドイツは東から圧力も受ければ、逆に東へと膨張する歴史をもっていた。現在、ドイツとポーランドの国境はオーデル川をひとつの基本としているが、かつてのドイツはオーデル川のはるか東までも領有していた。

中世、ドイツの領土拡張を担ったのは、おもにドイツ騎士団である。彼らは東への植民を繰り返し、現在のポーランド、バルト三国、ロシアの一部までがドイツの領土となっていた。現在、ポーランド北部の大都市であるグダニスクも、かつてはダンチヒと呼ばれ、ドイツの都市であった。ドイツは第2次世界大戦に敗れたため、その領地を大きく削られ、現在の東国境となったのである。

ドイツのヒトラーが第2次世界大戦を引き起こしたのも、ひとつには東方戦略があったからだ。ヒトラーは、東ヨーロッパを支配し、スターリンのロシアをウラル山脈の東、つまりはシベリアまで弾き出し、ウラル山脈以西をドイツ圏としたかった。ドイツの住人を豊かなウクライナに移住させることで、ドイツの守りは完璧となり、ドイツは豊かになると思っていた。それは身勝手な妄想ではあるが、ヒトラーもドイツの置かれた地政学事情を知っていたのである。

その一方、ベルリンは陥落の憂き目も見ている。18世紀の七年戦争にあっては、ロシア軍の占領をいったんはゆるしているし、20世紀の独ソ戦ではソ連の赤軍の大攻撃によって戦場と化している。

ドイツには、そんな地政学的な事情と歴史的な経緯がある。ドイツは、つねに東に備えねばならない。東に混乱があれば、それはすぐにドイツに波及しかねない。そのために、ドイツは東に偏ったベルリンに首都を置きつづけているのだ。

●なぜドイツは、中国と蜜月であろうとするのか?

ドイツがベルリンに都を置いているのは、ドイツが依然、東方へ潜在的な野望を有しているからでもあろう。世界の再編があれば、ドイツは東方に伸張するしかないと考え、準備もしているだろう。

また、ドイツが中国と密接なのも、東方、とくにロシアを睨んでのことだろう。20世紀以降、ドイツはしばしば中国と長く蜜月を築こうとしてきた。1930年代、ドイツは蒋介石率いる中国軍の近代化を指導してきた。蒋介石は軍の近代化に自信があったからこそ、日中戦争にあっては上海で日本軍相手に一大掃討戦を挑んだのだ。

第2次世界大戦後のドイツもまた、中国に接近している。中国のウイグル、チベットにおける住人の蹂躙に目をつむってでも、中国との友好を重視している。ドイツが中国を重要視するのは、経済的な理由も大きいだろうが、地政学を軸にした戦略があるからだろう。ドイツは中国と結ぶことによって、ロシアを東から牽制したいのだ。アジアで中国が蠢動するなら、ロシアはヨーロッパで思い切った戦略に出にくい。その分だけ、ドイツは東方戦略でフリーハンドを得やすいのだ。

●ドイツとロシアの「緩衝国」にはならないポーランド

ドイツの東にあるポーランドは、不幸な国である。ドイツ、オーストリア、ロシアという大国に囲まれ、大国の野心の狭間にある。18世紀には、ロシア、プロイセン、オーストリアによって分割の憂き目に遭い、いったんは国を失っている。20世紀、第2次世界大戦にあっても、ドイツ、ソ連に挟撃され、亡国の憂き目を見た。

ポーランドが二度までも消滅してしまったのは、この国が自然国境をもたないからだ。すでに述べたように、北ドイツの平原はポーランドからベラルーシ、ウクライナ、ロシアへと広がる。平坦な東西の国境には、ドイツ（プロイセン）、ロシアがあり、この2国に挟撃されるなら、戦力が分散され、守りようがない。

こうしてポーランドは二度にわたる悲劇を体験しているが、分割する側のドイツやロシアも分割にはリスクが伴う。ポーランドを分割するなら、ドイツ、ロシアという強大国は国境線を接することになる。両国の関係が緊張するなら、戦争につながりかねない。

実際、第1次大戦前夜、ドイツとロシアは国境線を接していたし、第2次世界大戦にあっても、その初期、両国がポーランドを消滅させたことで、国境を接することになった。そのため、ふたつの世界大戦では、ドイツとロシアが激突、ともに甚大な被害を出している。ロシアではそのためにロマノフ朝が倒れ、共産革命が起きたほどだ。

その破滅的な戦争リスクを考えるなら、ドイツにしろ、ロシアにしろ、ポーランドを潰さないという選択はあるだろう。ポーランドを「緩衝国」にしてしまえば、ドイツ対ロシアというカタストロフ的な戦争はなるたけ回避できる。

けれども、両国にはポーランドを「緩衝国」にする戦略はこれまでさほどなかった。というのも、ポーランドも、じつは膨張型の国家でもあるからだ。ポーランドが明確な意思と軍事力を有するなら、大国化もしかねないのだ。

●ポーランドはひ弱な国ではなく、その本質は膨張型国家

現在のところ、ポーランドの面積はおよそ31万平方キロ。これは、ドイツには及ばないものの、東欧随一の広さであり、大国の素地を有している。

すでに述べたように、自然国境をもたない大陸国家は、自国の安全保障のために、膨張する傾向にある。平原国家ポーランドもまた、そうだった。

ひ弱に見られがちなポーランドだが、中世には東欧の大国であった。当時ドイツ、ロシアは大国たりえなかったから、ポーランドはヨーロッパ屈指の強国としてふるまえた。

17世紀初頭、ロシアでは王朝が崩壊寸前の大混乱を迎える。このとき、モスクワでの玉座を狙う者たちはポーランドをバックとし、支援を仰いだ。さらには、ポーランド自身が野心を抱き、モスクワを2年に及んで支配したことすらある。モスクワを2年も支配した国は、ポーランド以外どこにもない。

第1次世界大戦ののち、ドイツの敗北やロシアの革命と混乱もあって、ポーランドは復活する。この再生ポーランドは、すぐに膨張国家になろうとした。ポーランドは内戦下のロシアに侵攻、ウクライナやベラルーシの一部を切り取りにかかっている。ポーランド軍はキエフを占領するほどの勢いがあったが、ロシア軍は反撃。今度はロシア軍がポーランドの首都ワルシャワに迫った。

だが、ここで再逆転劇が起きる。兵站（へいたん）線の伸びきったロシア軍はすでに限界であり、ポーランド軍はふたたび攻勢に出て、ミンスクに迫るほどであった。このののち停戦となったとき、ポーランドはロシアから領土の一部を勝ち取っている。

また、ポーランドは、第1次世界大戦の敗戦国ドイツとは、ポズナンの領有を巡って対立、一時は戦争になるかと思われた。ここでは連合国がポーランドに圧力をかけて思いとどまらせたが、ポーランドもまた周辺の大国が弱体化するなら、その隙をつく国家であったのだ。

ポーランドは、大国に苛（いじ）められてばかりのひ弱な国ではない。隙あらば領土を拡大し、安全保障を確保しようとする膨張型国家でもあるのだ。ドイツもロシアも、そのことをよくわかっている。だから、ポーランドは彼らにとっての「緩衝国」とはならない。ポーランドの領土を削り、さらには消滅させても、かまわなかったのだ。

フランスの首都・パリがもつ地政学的意味

●なぜフランスは、ヨーロッパの中で早くに統一国家になれたのか？

フランスは、ヨーロッパのなかでも早くに統一国家となり、繁栄してきた国である。ドイツやイタリアが長く分裂し、19世紀後半になってようやく統一をなしえたのとは対照的に、16世紀にはほぼ現在の統一フランスが完成している。

統一が早かっただけに、フランスはヨーロッパ大陸の覇権にもっとも近づきやすい位置にもあった。17世紀のルイ14世の時代、19世紀初頭の皇帝ナポレオンの時代、フランスは拡張主義を隠さなかった。

フランスの国家統一が早かったのは、フランスの地政学的な事情からだ。フランスは、ヨーロッパのなかでもっとも自然国境に恵まれた国のひとつだからだ。

フランスの南北には、海という自然国境がある。北はドーヴァー海峡を挟んでイギリスと向き合い、南には地中海が広がる。ドーヴァー海峡は完全な障壁にはならないにせよ、海を隔てている安心感がフランスにはある。

フランスは、南西ではスペインと陸つづきであるが、両国の間にはピレネー山脈が横たわっている。ピレネー山脈は自然国境と化しやすい。8世紀、イスラム勢力が急拡大していくなか、ムスリムの兵士たちはイベリア半島に上陸、イベリア半島を手中にする。さらにはピレネー山脈を越えて、フランスへとなだれ込んだ。このとき、フランク王国の宮宰カール・マルテルがトゥール・ポワティエ間の戦いで、イスラム勢力を打ち破り、ピレネー山脈から西に押し戻している。以来、ピレネー山脈はフランスの西の自然国境として機能しつづけてきた。

一方、東はというと、ベルギー、ドイツ、スイス、イタリアなどと国境を接している。このうち、最大の弱点となるのは、北東部に広がる平原地帯である。ドイツ、ベルギー、北フランスへとつづく平原地帯はフランスの唯一の弱点だが、逆にここを堅く守っているかぎり、フランスの安全は保障されやすい。

さらにいうなら、19世紀を迎えるまで、東方でフランスの国境を脅かしそうな大国はなかった。もっとも脅威となりうるドイツは分裂したままであったから、フランスは東方に脅威を見なくてもよかった。むしろ、東方はフランスの拡張領域のようにも見られた。

フランスは大陸国家でありながら、これほどに自然国境に恵まれていたから、自然国境のラインから統一体が生まれやすかった。ゆえにヨーロッパ大陸のなかでは早熟であり、主導的な立場になりやすかった。

●「パリ＝フランス」の関係に気づかなかったゆえのナポレオンの敗北

フランスの都・パリの繁栄は、フランスが自然国境に恵まれたおかげである。たしかに、中世、ヴァイキングたちがセーヌ川を遡航（そこう）し、パリを包囲した時代もあった。14〜15世紀の百年戦争下、イングランド軍の脅威にもさらされてきた。けれども、フランスが統一体として機能しはじめると、パリは安全な都市となる。パリには城壁はあれど、城壁を守る必要はなく、パリには人が集まり、パリは繁栄する。

フランスでは、パリが当たりまえの都となり、「フランス＝パリ」にさえなった。これが、フランスとパリの弱みにもなっている。自然国境を前提としたフランスにとって、パリ以外の首都はない。パリが陥落するなら、もはや抗戦は不可能に近く、さっさと白旗を揚げるしかない。

フランスの弱点になりかねない東国境には、長く大国はなかった。だから、パリは安泰だったが、18世紀を通じて、はるかかなたのプロイセンやロシアが強国化する。19世紀に統一ドイツが誕生してのち、パリはドイツの脅威を受ける都市になっていた。

それ以前、1813年、無敵のナポレオン軍がヨーロッパ諸国連合軍とのライプチヒの戦いに敗れ、フランスに撤退したときだ。ナポレオンには、パリを防衛するよりも、パリから離れたところで戦い、国内各地で各国軍を打ち破ってみせた。

ナポレオン軍の強さは健在であったが、ロシアやプロイセンなど各国軍はそのうちに気づいた。フランスを追い込むには、ナポレオンを捕捉するのではなく、パリを掌握すればいいということをだ。さらにパリを制する者がフランスを制する者になる――。

ロシア軍、プロイセン軍がナポレオンに見向きもせず、パリ占領に向かったとき、すべては決した。いまだ完全に敗れていないにもかかわらず、パリにいないナポレオンの没落は決定的となり、パリ占領によって諸国連合軍の勝利となったのだ。

これが、自然国境のない国家であれば、違う成りゆきになったかもしれない。自然国境のない国家の典型が、ロシアや中国である。ロシアは、ナポレオンやヒトラーの軍の侵攻に対して、都・モスクワを死守する気はなかった。ナポレオンの攻勢に対して、ロシア皇帝アレクサンドル1世は、モスクワに火をつけさえもした。ヒトラーの侵攻に対して、スターリンもモスクワにさほどこだわらなかった。

自然国境なき国家にあっては、独裁者が健在であれば、都が落ちようとかまわないのだ。独裁者のあるところが都であり、独裁者を捕捉せねば占領は達成できない。

一方、自然国境を有してきた国は違う、イギリスならロンドン、日本なら東京を押さえられてしまうなら、もう抵抗する気は失せていく。フランスもまたそうだったのだ。文芸評論家の鹿島茂氏も指摘しているように、パリはナポレオンよりもエラかったのだ。

ベルギーがヨーロッパの火薬庫である理由

●EUの本拠がベルギーの首都・ブリュッセルに置かれている意味

現在、ベルギーのブリュッセルにはEUの本部が置かれ、ブリュッセルは統一ヨーロッパの首都といったところだ。

ベルギーは、国土面積のおよそ3万平方キロ程度の小国である。その小国・ベルギーにEUの本拠があるのは、ベルギーが地政学上の要衝にあるからだ。

ベルギーは東ではドイツと国境を接し、西ではフランスと地つづきである。北のドーヴァー海峡を渡れば、イギリスだ。ベルギーは、ヨーロッパの3大国ドイツ、イタリア、イギリスがせめぎ合う要衝にあり、ベルギーがその独立を失う事態ともなれば、3大国の勢力バランスさえも崩れる。そんな要衝だから、統一ヨーロッパの中心に選ばれたのだ。

見方を変えるなら、ベルギーを統一ヨーロッパの中心に据えることで、ヨーロッパは小国ベルギーの存立を保障した。これによりベルギーの中立性が維持され、ドイツ、フランス、イギリスの勢力均衡も成り立つのだ。

そうなるまで、じつはベルギーは西ヨーロッパの「火薬庫」のような存在であった。戦略的な要衝であるうえ、商業的にも要地である。加えて産業も発達していたから、多くの国がベルギーを欲しがった。支配者は、コロコロと変わった。ベルギーとははるかに遠いオーストリアやスペインも、ベルギーを欲しがり、領有していた時代があるほどだ。

ベルギーが独立を達成するのは、1830年代のことだ。1831年、ロンドン会議によってイギリスをはじめとする各国に独立を承認され、その後、永世局外中立国ともなっている。

けれども、ベルギーの中立は保障されなかった。20世紀、第1次世界大戦、第2次世界大戦では、ベルギーは戦場となる。とくに第1次世界大戦に関しては、じつはベルギーを巡る戦いであったともいえる。

●なぜイギリスは、ベルギーのために、第1次大戦に参戦する愚をおかしたのか？

第1次大戦勃発にあって、ベルギーの中立を侵犯したのはドイツ軍である。ドイツ軍は、フランス侵攻にあたって、ベルギーを通過する作戦を立てていた。ここが、フランスのもっとも弱い防衛ラインであることを知っていたからだ。さらに、ベルギーの平原地帯が、大軍のすみやかな移動にもっとも適していたからだ。

すでに19世紀後半、普仏(ふふつ)戦争（プロイセン・フランス戦争）で、フランスはドイツに屈していた。このときプロイセン軍の侵攻ルートは、アルザス＝ロレーヌ地方であった。皇帝ナポレオン3世は、セダンで降伏する。この戦争にあっては、プロイセン軍はベルギー領の通過を考えなかったが、戦後、フランスはアルザス＝ロレーヌ方面の守りを堅くしていた。このことを知ったドイツは、ベルギー通過によるフランス侵攻にはしったのだ。

フランスは、ベルギーの国境線にまで強い防備を固めていない。だからこそ、ベルギーを突破するなら、フランス北部の平原になだれ込み、パリを目指せると踏んだのだ。

このドイツのベルギー侵攻に、あまりに敏感に反応したのがイギリスである。イギリスは、ただちにドイツに宣戦布告した。イギリスの参戦は、ドイツにとって想定外であった。イギリスの参戦ゆえに第1次世界大戦は深刻化、長期化し、ヨーロッパの自壊さえもた

第1次世界大戦時のヨーロッパ

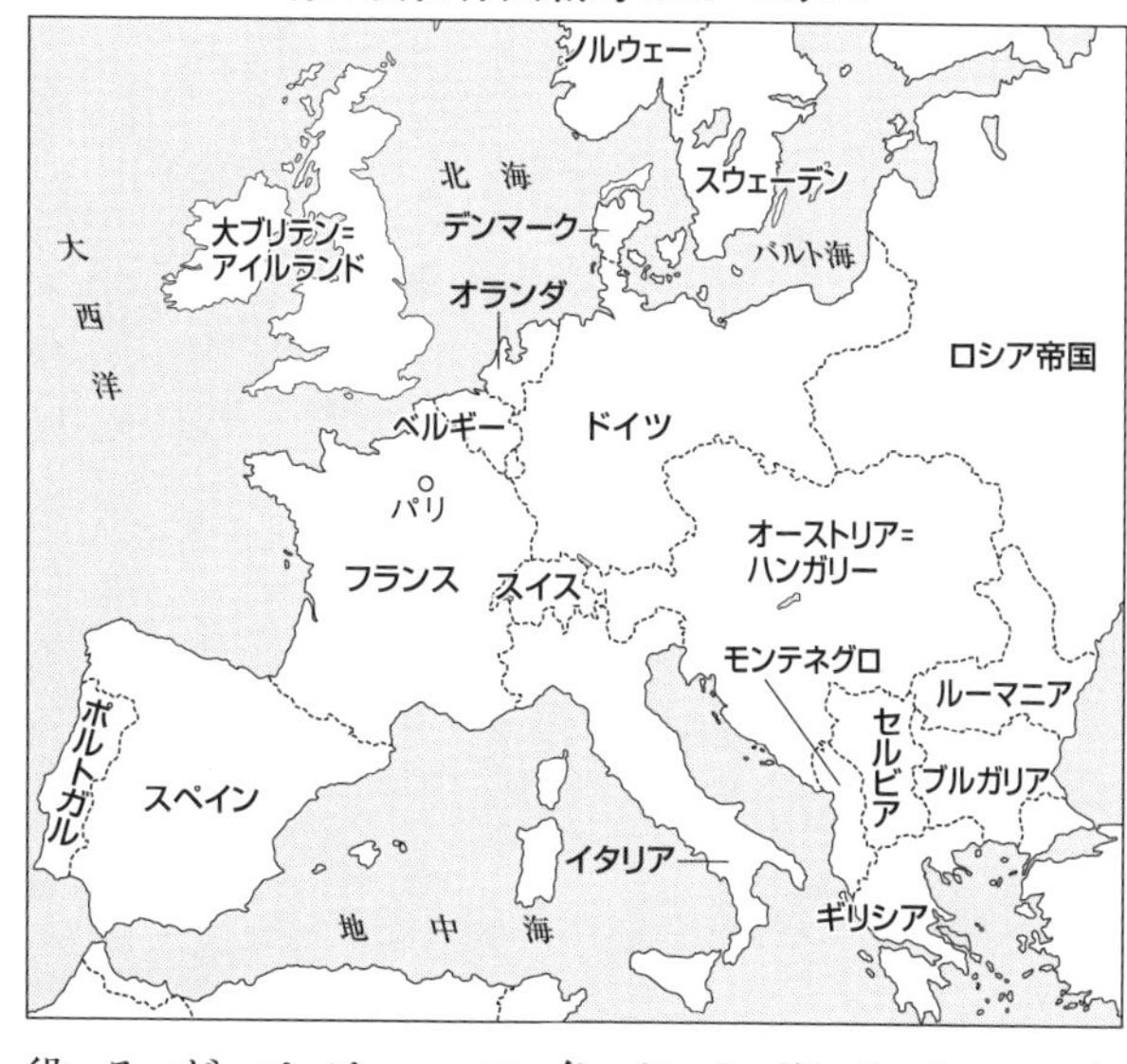

らす。

そもそも、イギリスに第1次世界大戦に加わる直接的な動機、理由は乏しかった。第1次世界大戦は、バルカン半島の緊張が原因となっている。ここでオーストリアとロシアの対立があらわとなり、ドイツはオーストリアに与（くみ）した。普仏戦争の敗北以来、ドイツに復讐心を燃やすフランスは、ロシアと結びついた。

その経緯を見るなら、第1次世界大戦は、バルカン半島を中心としたヨーロッパ大陸内の戦いに終始してよかったはずだ。イギリスは、戦争を調停する役に回ることもできた。イギリスが和平の仲介役となるなら、第1次世界大戦はひどい惨禍をもたらすまでにはならなかったかもしれない。

ところが、イギリスは参戦の道を選んでしまったのだ。イギリスがドイツに宣戦布告したのは、表向きには、1831年のロンドン条約を守るためだ。条約はベルギーの独立を保障したものであり、ベルギーの独立が毀損されたから、イギリスは参戦した。

けれども、より突き詰めるなら、ベルギーの海岸がドイツの領域になることを嫌ったからだ。ドイツ軍がそのままフランスになだれ込めば、フランスの海岸部もドイツの勢力圏となる。こうなったとき、イギリスはドーヴァー海峡を挟んで、直接、ドイツと対峙する状態が生まれる。

これまで、イギリスとドイツが直接、海峡を挟んで身近に向かい合うことはなかった。それが、ドイツのベルギー侵攻によって変化し、ドイツとの直接対峙という大きなストレスを抱える事態をイギリスは予見してしまった。だから、イギリスは参戦した。一方、ドイツは、イギリスのこうした地政学的な考えを読みきれなかった。これが、ドイツの敗北につながる。

第1次世界大戦の西部戦線の主戦場となったのは、ベルギーである。ベルギーの塹壕戦で、イギリス・フランス連合軍とドイツ軍は大殺戮戦を展開し、双方が膨大な数の兵士を失っている。史上初めて毒ガスが使用されたのも、戦車が初めて投入されたのも、すべてベルギー戦線を巡る戦いであった。

●第2次大戦の勝敗の鍵を握っていたベルギー

第2次世界大戦にあっても、ベルギーは戦争の急所となっている。第2次世界大戦下、ドイツとフランス・イギリス連合軍は、ふたたび激突する。ドイツ軍は第1次世界大戦につづいて、またもベルギーに侵攻、フランス北部の平原になだれ込もうとした。このフランス・ベルギー国境には全長140キロにもおよぶ要塞「マジノ線」が準備され、フランスはここでドイツ軍の鋭鋒（えいほう）を食い止めるつもりであった。フランス・イギリス連合の主力軍は、ベルギー北部の国境線に向かった。

じつは、ドイツはこの動きを織り込みずみであった。ドイツの機甲師団は、ベルギー南部に広がるアルデンヌ高原からフランスへの侵入を狙っていたのだ。アルデンヌ高原は、森林地帯であり、大軍の行軍には向かない。フランスもアルデンヌ高原の守りには、主力を配することはなく、主力をベルギー北部国境に向かわせていた。

ところが、ドイツの戦車部隊はアルデンヌ高原を高速で突破し、フランスの平原になだれ込み、フランス・イギリス連合軍の後方に回ったのだ。

ドイツ軍のアルデンヌ高原突破により、イギリス・フランス連合軍はドイツ軍に包囲された格好になる。敗北を悟ったフランス・イギリス連合軍は、ベルギー国境に近いフランス海岸のダンケルクにまで落ち延び、ここからイギリスへと船で撤退するよりほかなかった。ダンケルクの撤退戦によって、フランスは主力軍を失い、パリは丸裸同然となった。フランスは、継戦を断念し、降伏する。

ベルギー、フランスを制したドイツは、つづいてはドーヴァー海峡を挟んで、イギリスと航空戦を展開する。第2次世界大戦にあっても、ベルギーは鍵となっていたのだ。

現在、ベルギーは統一ヨーロッパの本拠となり、ここを侵食しようとする勢力はない。けれども、EUが崩壊に向かうならばどうだろう。ベルギーは、ドイツ、フランス、イギリスの3大勢力の角逐（かくちく）し合う場となり、ヨーロッパの「火薬庫」となりかねないのだ。

イギリスが世界帝国を形成した地政学的背景

●同じ島国でありながら、安全保障思想が異なるイギリスと日本

2020年、イギリスはEUからの正式な離脱、いわゆる「ブレグジット」を決めた。

イギリスがEUを離れたのは、さまざまな理由からだろう。ひとつには、いまのヨーロッパ大陸がイギリスの利益にならないうえ、重大な脅威にならないと見なしたからだろう。

イギリスは、日本と同じく四方を海に囲まれた島国だ。けれども、イギリス人の安全保障への考えは日本人とは大きく異なる。イギリス本島（ブリテン島）の置かれた地政学的な環境が、日本列島と大きく異なるからだ。日本人が長く中国大陸の脅威を無視できたのに対して、イギリスはつねにヨーロッパ大陸からの大きな力を警戒せねばならなかった。

イギリスは、ドーヴァー海峡を挟んでヨーロッパ大陸と向き合っている。ドーヴァー海峡は狭い。いまはドーヴァー海峡にはトンネルが掘られ、トンネルでイギリスとフランス、ベルギーがつながっている。それほどにドーヴァー海峡は狭く、完全な自然国境にはなりがたい。

一方、日本列島はどうか。対馬海峡によって、朝鮮半島とはかなり隔てられ、中世から近世を通じて、日本と朝鮮半島の交渉はさほどなかった。中国大陸とは朝鮮半島以上に隔てられ、日本と中国は無視し合える時代がつづいた。日本の四方の海は、近代になるまで、自然国境として機能していたから、日本人はどこか能天気ですらあった。

イギリスは島国とはいいながら、孤立した島国・日本とはまったく違い、ヨーロッパ大陸の辺境的な地位にもあった。ゆえに、イギリスはつねにヨーロッパ大陸の動向を注視し、イギリスを狙う勢力がいないかを察知しなければならなかった。

●大陸の政治や戦争に影響を受けつづけてきたイギリス

振り返ると、11世紀までイギリスの歴史は、大陸方面からの侵攻・征服の繰り返しである。古代のイギリス本島に住んでいたのは、ビーカ（ビーカー）人といわれる。彼らは、巨石建造物の建造者であったが、大陸からやってきたケルト人の前に姿を消した。そのケルト人も、やがてドーヴァー海峡を渡ったローマ帝国によって征服される。

ローマ帝国の崩壊ののち、今度は大陸からアングル人、サクソン人、ジュート人らが襲来する。これによりイングランドではアングロ・サクソン化が進んだが、つづいてスカンディナヴィア方面からヴァイキング（ノルマン人）たちの襲来にさらされる。イングランドは、一時はヴァイキングよる北海帝国の一員にもなっていた。

1066年、イングランドでエドワード王が没すると、イングランドはノルウェー王ハーラル、フランスのノルマンディー公ギョーム2世に狙われる。新たなイングランド王ハロルド2世はノルウェー王ハーラルを打ち破ったものの、ノルマンディー公ギョーム2世の前に敗死。勝利したギョーム2世はウィリアム3世として、イングランドにノルマン王朝を樹立する。彼は、フランスに移住したノルマン人の末裔であり、この征服は「ノルマン・コンクェスト」と呼ばれる。

「ノルマン・コンクェスト」ののち、イギリスは大陸の実力者によって征服されることはなかった。けれども、イギリスの政変や新王朝樹立には、たびたび大陸の勢力であるフランスやオランダが関わってきた。

1485年、ヘンリ・チューダーは、ヨーク朝の王リチャード3世をボズワースの戦いで破り、ヘンリ7世として即位、チューダー朝を開く。チューダー朝はエリザベス女王を輩出する王朝だが、ヘンリ7世が王位奪取の策源地としたのは、フランスであった。ヘンリ7世は亡命先のフランスの支援を得て、初めて王となることができたのだ。

1688年、いわゆる名誉革命でスチュアート朝のジェームズ2世をイギリスから追い払ったのは、新たに即位したウィリアム3世だ。ウィリアム3世の生まれはオランダであり、彼は、オランダではオラニエ公ウィレム3世としてオランダ総督の立場にあった。イギリス議会は、カトリック王として評判の悪いジェームズ2世を追放するため、オランダのウィレム3世の軍事力をあてにした。そして、彼に支援を要請、イギリスはオランダからの王を戴いたのだ。

一方、中世、イギリスは大陸に領土さえも有していた。ノルマン朝の始祖ウィリアム1世自身が、もともとフランスのノルマンディー地方を有していた。ノルマン朝に代わったプランタジネット朝の始祖ヘンリ2世も、もとはフランスのアンジュー公であり、フランスに土地を有していた。彼の后もフランス国内に広大な領地をもっていたから、イングランド王ヘンリ2世は、フランスに多くの土地を有した。こうした歴史があるため、14世紀には英仏百年戦争がはじまり、イングランド軍はフランス国内に侵攻したのだ。

●ヨーロッパに強大な国家を誕生させない戦略に移行したイギリス

イギリスの政治は大陸と深く関わり、イギリスの王や政治家は大陸のパワーを利用さえもしてきた。ただ、それはイギリスがまだ小国であった時代のことだ。

イギリスが大国となるほどに、イギリスはヨーロッパの影響を受けるのを嫌うようになる。自然国境にならなかったドーヴァー海峡を、自然国境として機能させてみたくなる。ドーヴァー海峡を自然国境とするには、イギリスに介入しそうなパワーをヨーロッパに誕生させないことである。そこから先、イギリスはヨーロッパの大陸情勢を注視するようになり、大陸に巨大な力が現われると、ヨーロッパ大陸に介入さえもはじめた。

17世紀前半、フランスでルイ14世が強大な権力を握ると、彼はネーデルラント（オランダ）へ侵略戦争を企てた。ネーデルラントは、イギリス本島の向こうにある。イギリスはオーストリアをはじめとする諸国に連携をもちかけ、フランスに対抗、ついにはルイ14世を挫折させている。

19世紀初頭、フランスにナポレオンが登場したときも同じである。イギリスは数次に及ぶ対仏大同盟の主役となり、ナポレオンに対抗した。イギリスが屈しなかったがゆえに、ナポレオンは失敗に追い込まれたといっていい。

このように、ドーヴァー海峡を自然国境とするため、イギリスはヨーロッパ大陸を監視・介入してきたが、現在のEUはイギリスの脅威とならない。EU内では、リーダー格であるドイツとフランスのあり方が大きく異なるため、EUはまとまりを欠く。そのために、イギリスはブレグジットによりヨーロッパ大陸からいったん退き、日本をはじめヨーロッパ外との提携を模索しはじめているのだ。

●なぜイギリスは、世界最強の海軍国となりえたのか？

第2次世界大戦後、アメリカが世界の覇権国になる以前、世界の覇権国といえば、イギリスであった。イギリスは19世紀には世界の覇権を握り、世界各地に植民地を領有した。世界のどの国も、イギリスを敵に回したくなかった。

そのイギリスの覇権の源泉にあったのが、イギリス海軍である。19世紀、イギリス海軍は世界最強であった。世界第2位、第3位の海軍国が束になっても、イギリス海軍にはかなわなかった。無敵の海軍をもって、イギリスは世界各地に睨みを利かせていった。

イギリス海軍が世界最強となったのは、自国の置かれた地政学的な環境をイギリス自身が克服しようとしたからだ。すでに述べたように、四方を海に囲まれた海洋国だからといって、強力な海軍国、真の海軍国になれるわけではない。20世紀の日本は、結局、真の海洋国家になれずじまいであった。

同じ島国であっても、イギリスは日本と違い、たびたび大陸から侵攻を受けてきた。ドーヴァー海峡が自然国境として機能していない時代が長くつづいたが、そうしたなか、イギリスはドーヴァー海峡の自然国境化を模索した。そのひとつの回答が、強力な海軍を有することである。

イギリスは、ヨーロッパの海を支配することで、大陸勢力のブリテン島侵攻を断念させようとしたのである。このときに必要な海軍は、沿岸を守るだけでなく、外洋に出て、制海権を得るだけの海軍である。イギリスは、大陸から攻められやすいという地政学的な弱みを克服するために、海軍国家たろうとしたのだ。

そこに、幸運も後押しした。1588年、スペインのフェリペ2世は、エリザベス1世のイングランドを懲罰しようと動く。彼はイングランドの征服までも考え、まずは無敵艦隊（アルマダ）を動員した。当時、スペイン艦隊はオスマン帝国海軍を地中海で打ち破り、ヨーロッパ最強の無敵艦隊と恐れられていた。イギリス海軍はこの無敵艦隊を打ち破り、名をあげた。

そこには暴風雨の助けもあった。スペイン海軍は自壊に等しい形で敗れたのだが、イングランドはこの戦いを歴史的な勝利と受け止め、海軍こそがイングランドの防衛線の最前線にあるものと位置づける。

以後、イギリス海軍はヨーロッパ最強を目指し、17世紀にはオランダ海軍と争いながら、その絶対的な地位を手にしはじめる。19世紀初頭、フランスのナポレオン相手の戦争では、フランスの港に海上封鎖を仕掛け、ナポレオンに与したデンマークの都コペンハーゲンを艦砲射撃によって焼き討ちにしている。

イギリス海軍は、20世紀のふたつの大戦でも力を発揮している。とくに第1次世界大戦にあっては、イギリス海軍はドイツに対する海上封鎖を実行、ドイツ経済を締め上げにかかっている。

当時、ドイツはイギリス海軍に迫る大洋艦隊を建設していたが、結局、イギリス海軍の包囲網を打ち破れないままであった。戦争の終局、ドイツは物資不足に陥ったこともあって、屈していったのだ。たしかに、イギリスもまたドイツの潜水艦・Uボートの跳梁によって、物資不足に陥っていたが、より海上封鎖に喘いでいたのはドイツのほうだった。

第2次世界大戦にあって、イギリスはソ連に軍需物資の支援をおこなっていた。その輸送ルートを守るのがイギリス海軍であった。イギリス海軍が健在であったがゆえに、ソ連はドイツ相手に戦いつづけることができたのだ。

独立志向をもつスコットランドとイギリスの関係

●なぜイングランドとスコットランドは、同じ島なのに文化が異なるのか?

2010年代後半、イギリスの大陸からの離脱、ブレグジットが進行中の時代、もうひとつの離脱も進行中であった。スコットランドのイギリスからの離脱である。

イギリスは、イングランド、スコットランド、ウェールズ、北アイルランドの連合王国(ユナイテッド・キングダム)である。古代から近世にかけて、イギリス本島にはイングラ

イギリスを構成する地方

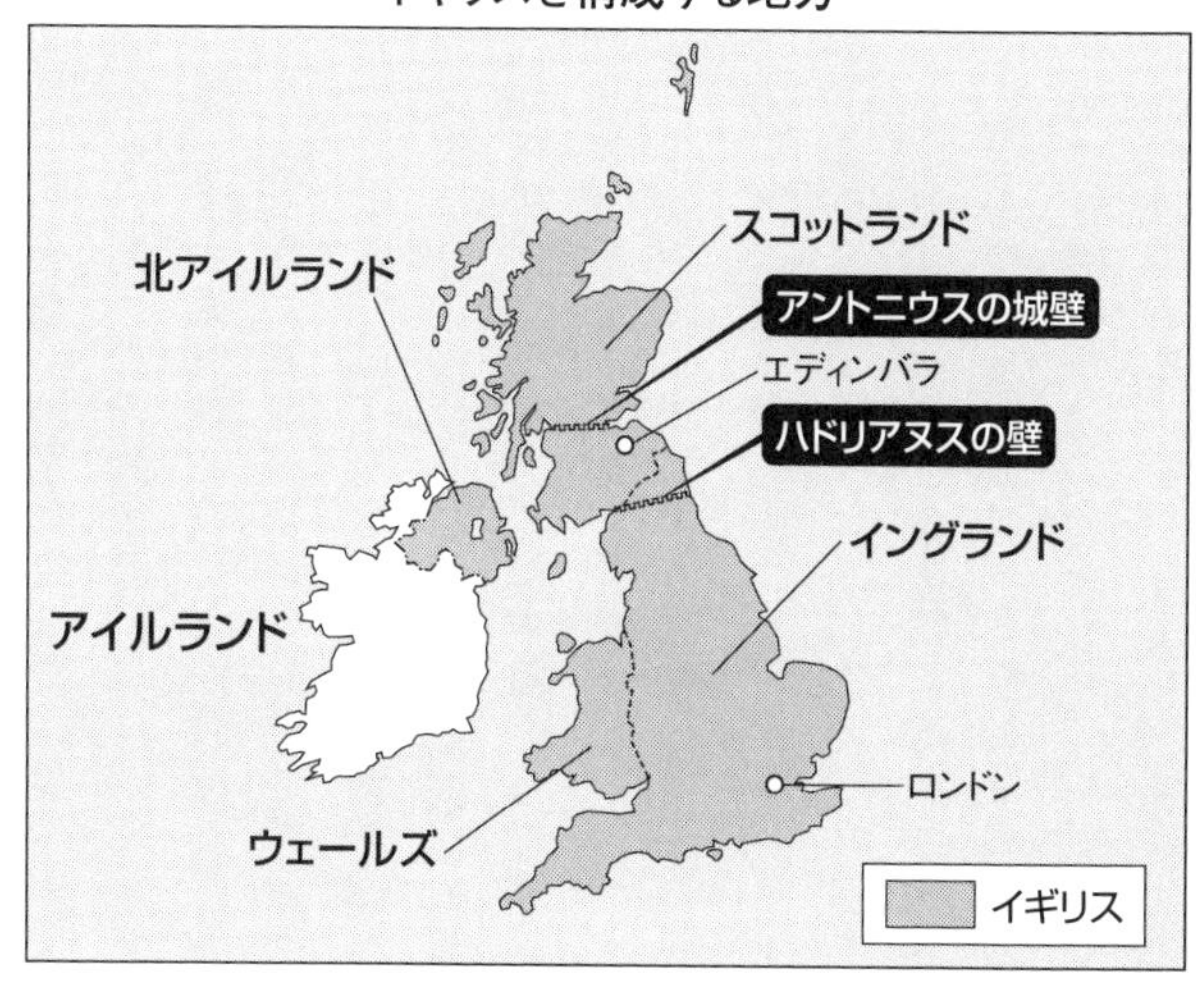

ンド、スコットランド、ウェールズという3つの国が存在した。この3つの国がしだいに合同し、現在の連合王国イギリスになる。

スコットランドがイギリスからの分離を求めているのは、イギリスという連合王国に属している歴史が比較的浅いからだ。イギリスの母体となるイングランド王国とスコットランド王国は長く対立、抗争の歴史を展開していた。

それが変わるのは、17世紀からだ。1603年、イングランド・チューダー朝のエリザベス1世が死去したとき、彼女には継嗣がいなかった。そこから、イングランドはスコットランド・スチュアート王家のジェームズ6世をジェームズ1世として国王に迎え、両国は同じ王室を戴く国家となった。つづいて1707年、イングランド議会とスコットランド議会が合同、この議会合同によって「グレートブリテン連合王国」の成立となった。イングランドとスコットランドが合同した歴史は、たかだか4世紀程度にすぎないのだ。

　スコットランドがイングランドとの合同を嫌ってきたのは、その歴史がまったく異なるからだ。そこには、地政学的な事情が絡んでいる。

　イングランドはブリテン島の南部に位置し、その南部は平野に恵まれている。ゆえに、古代からイングランドには大陸からの移住者が多かった。また、古代のヨーロッパの中心はローマである。イングランドはブリテン島でもっとも大陸に近かったことから、ローマ帝国に占領され、ローマ文明の影響も受けてきた。

　一方、スコットランドはブリテン島の北部に位置する。国土には山岳部が多く、イングランドよりも冷涼な気候下にある。とりわけ、北部のハイランド地方は、一種の独立地帯といってもよかった。ゆえに、大陸から移住した者も、スコットランドまではなかなか進出できなかったし、スコットランドの勢力もそれを阻んだ。

　ローマ帝国の軍団の力をもってしても、それは無理だった。スコットランドにあったピクト人の攻勢もあって、ローマ軍団は北上を断念、2世紀にはブリテン島の東西に「ハドリアヌスの壁」を築いている。ハドリアヌスの壁は、中国大陸の万里の長城と同じく、人工国境である。島の東海岸から西海岸まで東西112キロの城壁であり、ローマ帝国はこの城壁をスコットランドのピクト人たちとの人工国境とした。

さらに、ローマ皇帝アントニウス・ピウスは、ハドリアヌスの城壁のさらに北に城壁をつくっている。この「アントニウスの城壁」はやがて破られ、ハドリアヌスの防壁が最後の盾となった。

ハドリアヌスの城壁、アントニウスの城壁は、ちょうどブリテン島の地峡部に位置する。南北に長いブリテン島の中央は、細くくびれている。この地峡地帯こそは、ハドリアヌスの城壁崩壊ののちも、イングランドとスコットランドを分かつ自然国境にもなり、両国は別の王朝や言語をもつに至っている。

●なぜイングランドは、スコットランドとの統合を進めたのか?

イングランドでは、歴代王家が、大陸の血筋をよく引くのに対して、スコットランドの王朝の成立には隣のアイルランドからの移住が絡んでくる。これまた、スコットランドの置かれた地理的な事情からである。

スコットランドは、ノース海峡を挟んで、アイルランド島と向き合う。アイルランド島とスコットランドの距離は、イングランドとの距離よりもずっと近い。そのためアイルランド島のスコット人が、スコットランドに大量に移住、先住のピクト人らと抗争を繰り広げる時代もあった。そこからスコットランドは形成され、スコット人の土地ということで、スコットランドの名もついたのだ。

近世になって、イングランドが文化の異なるスコットランドとの合併に動いたのは、フランスの影響を恐れてのことでもある。イングランドとスコットランドの対立と抗争は、たいていイングランドの優勢で進んでいる。劣勢のスコットランドが頼ったのは、フランスである。フランスは、イングランドをライバル視しているから、フランス・スコットランド連合は生まれやすかった。

中世、イングランドはしばしばフランスとスコットランドからの挟撃を受けてきた。それが亡国の事態までに至らなかったものの、イングランドにとって背後を突きかねないスコットランドとの対立は、もうほどほどにしたかった。そこから、イングランドはスコットランドに接近、同じ王室を戴くようになったのだ。

ただ、イングランドとの合同は、スコットランドに大きな利益をもたらしたわけではない。スコットランドには、イングランドよりも、ヨーロッパ大陸のＥＵの仲間になりたいという願望もある。そのため、ブレグジットの過程で、スコットランドの独立・分離が叫ばれるようになったのだ。

ヨーロッパの中心から後退したイタリアの地政学的地位

●なぜイタリア半島に、強大なローマ帝国が興ったのか？

イタリアは、現在、ヨーロッパの有力国である。ドイツ、フランス、イギリスに次ぐかのような地位にあるものの、ヨーロッパ世界に強い影響力をもちえない。世界のなかでも、大きなパワーとはなりえない。

イタリア半島は、かつてローマ帝国を生み出している。それなのに、現在のイタリアが「新たなるローマ帝国」になりえないのは、地政学的な事情の変化にもよるだろう。

イタリアは、地中海国家に終始し、それも脆弱（ぜいじゃく）な地中海国家として現在に至っているために、グローバル化の時代に取り残されたのだ。

古代から中世にかけて、地中海は西ユーラシア大陸の中心にあったといっていい。東では中国大陸の黄河流域、西では地中海が繁栄の中核にあった。

ローマ帝国は、この地中海の「内海化」に成功した。イタリア半島に勃興したローマ帝国は、北アフリカのカルタゴを滅ぼし、北アフリカを征服、ギリシャという先進地帯も手中に収め、東ではメソポタミアをうかがった。地中海はローマの海と化し、地中海交易による進展もあって、ローマ帝国は長く栄えた。

古代の地中海帝国がイタリア半島から生まれたのは、地政学的な必然でもあろう。イタリア半島は地中海を東と西に分かつ形で存在している。イタリア半島の南にはシチリア島があり、シチリア島はシチリア海峡を挟んで、アフリカ大陸と向き合っている。イタリア半島を押さえるなら、東地中海、西地中海の双方に睨みが効く。さらに、東地中海と西地中海の交易の要となり、東西交易を監視さえもできる。

そこが、ギリシャとの違いである。ギリシャはローマ帝国よりも早熟であったが、その本拠地は東地中海側にある。シチリア島にも勢力を伸ばそうとしていたとはいえ、西地中海までは押さえ込めなかった。ローマの繁栄領域のほうがギリシャよりずっと大きかったから、ギリシャはローマに呑み込まれてしまった。

古代ローマが、古代カルタゴと争ったのも、地政学的には必然であったろう。カルタゴもまたシチリア海峡近くにあり、東地中海と西地中海を分かつ要にある。東地中海と西地中海を分かつ要としてローマとカルタゴは宿命のライバルとなるしかない、ローマはカルタゴを葬ることで、帝国となったのである。

●4世紀以降、独立性を失っていったイタリア半島

4世紀、ローマ帝国は崩壊していくが、そののちも16世紀までイタリア半島はヨーロッパ世界の中心であった。いまだアルプス以北に巨大な力が誕生するに至らなかったため、地中海こそがヨーロッパの中心域たりえた。イタリア半島は地中海の東と西を分かつ要であったため、地中海の中心でありつづけた。だから、ヴェネツィアやジェノヴァといったイタリア半島の海洋都市国家が登場、内陸のフィレンツェはルネサンスを唱導できた。

ただ、4世紀から15世紀までの間、イタリア半島は脆弱な地域となっていく。イタリア半島は3方を海に囲まれ、北にはアルプスという障壁がある。四方を自然国境に守られたイタリア半島は自立しやすかったが、ローマ帝国の崩壊ののちは、様相が変わる。

ローマ帝国消滅ののち、イタリア半島では、海が完全な自然国境とならなくなり、海からの侵略にさらされることになったのだ。スカンディナヴィア半島に発したヴァイキングたちは、ジブラルタル海峡から地中海に入り、北アフリカから海を渡り、イタリア半島を襲撃した。7世紀以降、イスラム勢力が急拡大していくと、彼らは海からイタリア半島に

侵攻もした。北アフリカで海賊が発生しはじめたとき、豊かなイタリア半島は海賊の襲撃の的となっていた。

さらに、アルプスもイタリアの壁として機能しなくなった。中世、イタリア半島にはドイツ王やフランス王の勢力がしばしば南下し、イタリアに権益を得ようとしてきた。

こうした国境線の崩壊に、イタリア半島が団結して対処することはなかった。イタリア半島が山がちで、都市が寸断されているせいでもあった。また、海からの侵攻によって、海洋都市国家以外は内陸に押し込まれる。イタリアは、海岸線を失いがちであった。

しかも、海からの勢力、アルプス越えの勢力に何度にも渡って侵攻されていたため、イタリア半島は諸勢力によって分断されていく。中世、イタリアは分裂に陥っていて、国家としてまとまりえなくなっていたのだ。

その後、16世紀から大航海時代を迎えると、地中海の地位は低落していく。地中海交易で扱っていたのは、香辛料をはじめとするアジアの産物であった。スペインやポルトガルをはじめ外洋に進出した諸国は、直接、アジアの文物を取り引きしはじめたから、地中海交易の重要性は薄れていった。フランスやイングランドまでが台頭していくと、ヨーロッパの中心は、地中海からアルプス以北へと移っていく。地中海がローカル地域と化していくほどに、イタリアの国際的な地位も低下し、いまに至っているのだ。

地中海制覇に欠かせないマルタ島の意義

●なぜ大きなシチリア島より、マルタ島が要衝となるのか?

地中海、シチリア島の南にはマルタ島がある。マルタ島は、東京都の半分くらいの面積しかない小さな島である。日本人には馴染みが薄い島だが、ヨーロッパにあっては地政学的な要地である。

マルタ島は、現在は独立国家・マルタ共和国の中心である。その独立は第2次世界大戦後のことで、過去には多くの国家がマルタ島を巡り、争い、領有もしてきた。マルタ島を制する者が、地中海を制するかのようにだ。

実際、マルタ島は小さいながらも、地中海の要石のような存在だ。すでに述べたように、イタリア半島は地中海の東西を分かつ、地政学的な地位にある。イタリア半島やシチリア島に近いマルタ島もまた、東地中海と西地中海をつなぐ要衝である。

しかも、シチリア島よりもはるかに小さな島であることが重要である。イタリア半島の征服やシチリア島の制覇には、広いがゆえに時間がかかる。一方、マルタ島は小さいがゆえに征服しやすい。マルタ島を制圧した者が、ここを要塞化し、一大拠点とするなら、地中海交易を分断できるし、イタリア半島の安全保障を脅かすことだってできるのだ。

そのため、マルタ島は長く攻防の舞台となってきた。中世、一時はイスラム勢力がマルタ島を奪い、イタリアへの浸透の拠点ともしていた。

その後、16世紀、オスマン帝国が地中海世界に拡大していくと、マルタ島は焦点となる。当時、マルタ島にあったのはマルタ騎士団である。彼らはもともと東地中海のロドス島にあったが、ロドス島攻防戦でオスマン帝国に敗れ、マルタ島へと移ってきた。地中海の覇者を目指すオスマン帝国は、マルタ島奪取を狙い、マルタ島では一大攻防戦が繰り広げられた。

かりにオスマン帝国がマルタ島を奪うなら、マルタ島はオスマン帝国の西地中海制覇の入り口になる。さらには、イタリア半島征服の拠点にもなりかねない。このことを知っているマルタ騎士団は、オスマン帝国の攻勢を耐え抜き、島を守っている。

18世紀末、フランスのナポレオンはイタリア半島を制圧したのち、エジプト遠征に出る。このとき、エジプトまでの拠点となったのがマルタ島である。フランスはマルタ騎士団を追い払って、マルタ島を確保し、その船団はエジプトに向かった。

けれども、ナポレオンはエジプトで孤立してしまう。ネルソン提督率いるイギリス艦隊が地中海に入り込み、マルタ島を奪ったからだ。ネルソンの艦隊はそのままエジプト沖に遊弋、アブキール湾の戦いでフランス海軍を叩きのめしている。海軍を失い、マルタ島を奪われたナポレオンは、一時、エジプトに完全孤立させられていた。このナポレオンの失態はあまり語られないが、ネルソンはマルタ島のもつ地政学的な意味をよく理解していたのだろう。

●イギリスの繁栄に欠かせなかったマルタ島

ネルソン提督に影響を受けたのか、その後、イギリスはマルタの地政学的な意味を理解し、マルタ島を支配しつづけてきた。外洋に覇権を見るイギリスが、グローバル時代のローカルな内海でしかない地中海の小島・マルタ島に意味を見い出したのは、19世紀後半、スエズ運河が完成したからでもある。

スエズ運河は、イギリスとインドを結ぶ高速ルートとなった。このころ、イギリスの繁栄の根幹には、植民地インドがあった。イギリスからインドに向かうには、大西洋を南下、アフリカ大陸南端の喜望峰回りでインド洋に向かうしかなかった。スエズ運河が開通すると、アフリカ大陸を経由せずともよく、地中海→スエズ運河→紅海のルートでインド洋に達することができたのだ。

すでに、イギリスは、大西洋と地中海を結ぶチョークポイントであるジブラルタルを押さえている。ジブラルタルは地中海の西の端であり、スエズ運河は地中海の東の端である。その地中海の東西を結ぶ要所がマルタ島であった。マルタ島は、イギリスの「インドへの航路」の重要な中継点であった。マルタ島は、イギリスの繁栄を守護してきたのだ。

●ロンメルの機甲師団の死命を制したマルタ島

マルタ島は、第2次世界大戦でも要所となる。ナチス・ドイツのロンメル将軍によるアフリカ遠征を失敗に終わらせたのも、マルタ島の存在である。

ロンメルの機甲師団が北アフリカへ攻勢を仕掛けたのは、1941年のことだ。ロンメルの軍団は、北アフリカを東へ進撃、エジプト、スエズ運河を奪うつもりであった。イギリスがスエズ運河を失えば、イギリスはインドから物資を得られなくなる。イギリス軍も反撃するが、ロンメルの進撃を食い止めることはむずかしかった。

そのロンメルの機甲師団の進撃も、エル・アラメインを前に勢いを失う。ロンメル軍団に石油をはじめとする物資が、届かなくなりはじめたからだ。マルタ島の基地から飛び立

第2次大戦時の北アフリカ

ったイギリスの攻撃機が、ドイツやイタリアの輸送船を襲い、北アフリカへの物資輸送を妨害していたのだ。

マルタ島は、ドイツ・イタリアが制覇したかに見えた地中海中央にあって、唯一、イギリス軍の砦となっていた。しかも、イタリアから北アフリカへの物資輸送ルート近くに、マルタ島はあった。マルタ島の基地が健在なかぎり、イギリスの航空機は北アフリカへの輸送船を攻撃しつづけられる。イギリス海軍は、空母、戦艦を動員して、マルタ島へ物資を運びつづけた。

当然、ドイツ軍、イタリア軍はマルタ島のイギリス軍基地へ激しい攻撃を加えつづけるが、イギリス軍は反撃をつづけた。ドイツ軍がマルタ島を落とせなかったがために、北アフリカのロンメルの機甲師団は燃料不足に陥った。エル・アラメインの戦いでロンメル軍団は敗退、アフリカから撤退していく。

その後、アメリカ軍は北アフリカを根城にシチリア島、イタリア半島への侵攻を企てる。このイタリア上陸作戦にあっても、ひとつの橋頭堡となったのは、マルタ島である。マルタ島からの支援もあって、アメリカ軍はイタリア半島を北上しはじめたのだ。

ロシアがウクライナを執拗に抑圧する理由

●モンゴル、ポーランド、ドイツ騎士団…ロシアに対する侵略の数々

2010年代以降、ユーラシア大陸で不穏な関係にあるのは、ロシアとウクライナである。プーチン大統領のロシアは、疑惑に満ちた住民投票という形で、ウクライナからクリミア半島を奪った。さらに、ウクライナの東部に位置するドンバス地方では、親ロシア派の民兵とウクライナ政府軍による内戦まで発生している。

ロシアがウクライナに深く関わり、ウクライナの力を削ぎ、さらにはウクライナの頭を押さえつけるような行動をとるのは、地政学的な事情による。ロシアは、ウクライナを従属国として、ヨーロッパ勢力からの盾としたいのだ。

かりにウクライナがNATO（北太西洋条約機構）にでも加盟しようものなら、ロシア

はその喉元に短剣を突きつけられたような格好になる。これを警戒して、ロシアはウクライナからフリーハンドを奪い、ウクライナを縛りつけたい。だから、軍事力で圧力をかけ、あれこれ嫌がらせまでおこなっている。

じつのところ、ロシアが盾と考えているのは、ウクライナのみではない。ベラルーシやバルト三国のリトアニア、ラトビアもそうである。

ロシアとポーランドの間にあるのは、リトアニア、ラトビア、ベラルーシ、ウクライナだ。現在、ポーランドがEUの一員であることを考えるなら、ポーランドは西側諸国の対ロシアの最前線にある。そのポーランドから身を守るための盾が、ウクライナやベラルーシなのだ。

ロシアは、ウクライナ、ベラルーシ、バルト三国に西側寄りの外交をさせたくない。ロシア陣営にとどめつづけたい。そこから、恫喝（どうかつ）や懐柔（かいじゅう）の外交が生まれている。

このロシアのあり方の根源にあるのは、自然国境をもたないという地政学上の不安だ。

すでに述べたように、北ヨーロッパの平原はモスクワからポーランドのワルシャワ、ドイツのベルリン、ベルギーのブリュッセル、フランスのパリまで延びている。この間、河川はあれども、自然国境になるような障壁は何もない。ひとたび機械化された軍隊が進撃をはじめるなら、一気に北ヨーロッパの大平原を横断しかねない。ロシアは、そのことを恐れている。ロシアの住人は、それを歴史的に知ってもいるからだ。

自然国境なきロシアの惨めさを、ロシアの住人に経験させたのは、13世紀のモンゴル帝国である。モンゴル帝国のバトゥの騎馬軍団は、西へと進み、ロシアの平原になだれ込む。当時、ロシアのキエフ公国を脅かしつづけていたのはホロヴェッツ人であったが、精悍な彼らもバトゥの軍団には完全に屈伏させられた。

バトゥの軍団はウラジーミル公ユーリを敗死させ、キエフ公国の都キエフを焼き討ちにして、北ヨーロッパの大平原の進撃をつづける。ワールシュタットの戦いではドイツ・ポーランド諸侯連合軍を撃破し、ハンガリーのプダペストまでも占拠している。

このモンゴル帝国の侵攻にあって、ロシアは泣きっ面に蜂であった。スウェーデンやリトアニアの勢力やドイツ騎士団も西からロシアを侵食しはじめていた。この危機にあって、スウェーデン軍やドイツ騎士団を打ち破ったのが、ウラジーミル公アレクサンドル・ネフスキー（ヤロスラフスキー）である。

彼はいまなおロシアの英雄と崇められるが、その彼とてモンゴル軍団の前には、戦わずして膝を屈した。彼はモンゴル帝国の前に臣従を誓い、モンゴル帝国の首都カラコルムまで赴(おもむ)いている。

その後、ロシアは「雷帝」イワン4世によって統合されるが、彼の死後から国内では大混乱がはじまる。この隙にポーランドやスウェーデンが侵食し、ポーランドはモスクワを2年間にわたり支配もしている。

●ロシア防衛の要・縦深戦略に欠かせないウクライナとベラルーシ

長年、隣国の侵攻を受けてきたロシアだが、18世紀初頭、ピョートル1世（大帝）の統率と独裁によって、ヨーロッパの強国となる。その強国化の過程で、ロシアは最大の亡国の危機を迎えていた。ピョートル1世は、スウェーデンの天才的な軍人国王カール12世と戦い、致命的なほどの敗北を喫していた。

カール12世の軍隊はロシアに侵攻し、領土拡大を狙った。このとき、カール12世はウクライナ・コサック（軍事的共同体）のヘトマン（頭領）であるマゼパ（マゼッパ）を味方につけ、ウクライナをロシアからの引き剥がしにもかかっている。

ロシアはウクライナを失い、さらには亡国の危機にすらあったが、カール12世でもロシアの広大な国土を攻めきれなかった。さらにはスウェーデン軍は食糧難にも陥り、疲弊(ひへい)した。そこを突いて、ピョートル1世のロシアはスウェーデンに大逆転勝ちを収めた。

このスウェーデンとの大北方戦争で、ピョートル1世はロシアの置かれた地政学的な弱みと強みを悟ったと思われる。自然国境なきロシアは、攻められると、脆い。しかしながら、その一方、ロシアが十分すぎるほどの縦深をもち、縦深地域での食糧調達が不可能になる焦土戦術をとるなら、ロシアの防衛は可能であることを知ったのだ。

ロシアの平原は広大なうえ、冬の寒さは厳しい。春には融雪によるぬかるみが生まれ、冬から春にかけては軍事行動はむずかしい。

モンゴル軍のような少数の騎兵でならロシアの平原を席巻もできようが、砲兵を伴った歩兵主体の軍隊がロシアは攻めるには、時間と大量の食糧を要する。その食糧がなければ、ロシアで餓死するだけだ。ピョートル1世自身、カール12世相手に焦土戦術を採り、スウェーデン軍の侵攻ルートには食糧となるものを残さなかった。

ピョートル1世以降のロシアの独裁者たちは、どうすればわが身を外国から守るか、そのノウハウを彼の事例から学んだ。自然国境なきロシアの縦深をより深くするには、モスクワから国境線をごくわずかでも遠ざけることにある。

18世紀後半、エカチェリーナ2世は、プロイセンと謀り、ポーランド分割にはしった。ここにオーストリアも加わって、ポーランドを消滅させてしまった。西に国境線を膨張させたことで、ウクライナは完全にロシアのものにもなる。

深い縦深戦略と焦土戦術の組み合わせは、巨大な防壁でもあれば、反撃の起点にもなった。19世紀、ロシアに侵攻したナポレオンのフランス軍も、ロシアの縦深戦略と焦土戦術に屈した。耐え抜いたロシア軍は、北ヨーロッパの大平原を横切り、パリまで到達している。

20世紀、ナポレオンの轍(てつ)を踏むまいとしたヒトラーのドイツもまた、ロシアの縦深を突破しきれなかった。その挙げ句、北ヨーロッパの大平原で苦しい撤退戦を強いられ、ロシア軍によるベルリン陥落をゆるしている。

ロシアの縦深戦略が大完成するのは、第2次世界大戦ののち、スターリンのソ連によってである。スターリンは、東ヨーロッパに共産主義国家を次々と誕生させ、東ヨーロッパまでも縦深に組み込んだのだ。その最前線は旧東ドイツ、チェコスロヴァキア、ハンガリーとなり、ロシアの守りは完璧になったかと思えた。

けれども、ソ連はあまりに手を広げすぎた。１９８０年代、ソ連が経済的に行き詰まり、求心力を失っていくと、東ヨーロッパの共産党政権は打ち倒されていく。ウクライナ、ベラルーシ、バルト三国らも独立を果たし、ロシアは多くの盾を失い、その縦深はかつてよりかなり浅くなってしまった。だからこそ、ロシアはウクライナ、ベラルーシがロシアから離れていくことをゆるしはしない。ロシアは、その地政学的な戦略上、ウクライナ、ベラルーシを従属させたままにしたいのだ。

5章

中東・アフリカの地政学

宗教対立だけではない、中東不安定化の要因

地政学的に見たイランの核武装願望の意味

●なぜイラン高原から準世界帝国が誕生しやすいのか？

現在、中東にあって、世界的脅威になる可能性があるのが、イランである。イランは核開発を断念しきれていない。かりにイランが核を保有するなら、中東諸国はおろか、ヨーロッパ諸国にとっては由々しき問題となる。

イランが核武装を目指すのは、そこに「大国願望」があるからだ。そのイランの「大国願望」には、地政学的な事情と歴史が絡んでいる。

イラン高原のあるイランは、天然の国境に囲まれた要塞国家のようなものだ。イランの北には大国ロシアがあるが、カスピ海を挟んでいるうえ、カスピ海沿岸にはアルボルス（エルブルース）山脈が迫っている。西のイラクとの間には、ザグロス山脈が横たわり、南はオマーン湾からアラビア海に面する。東ではアフガニスタンやパキスタンと地続きであるが、砂漠や山脈が多く、東からの侵攻はそうはない。

イランは、じつに守りに堅い国境線を有している。完全に国境線を破られたのは、13世

アッシリアとアケメネス朝の領域

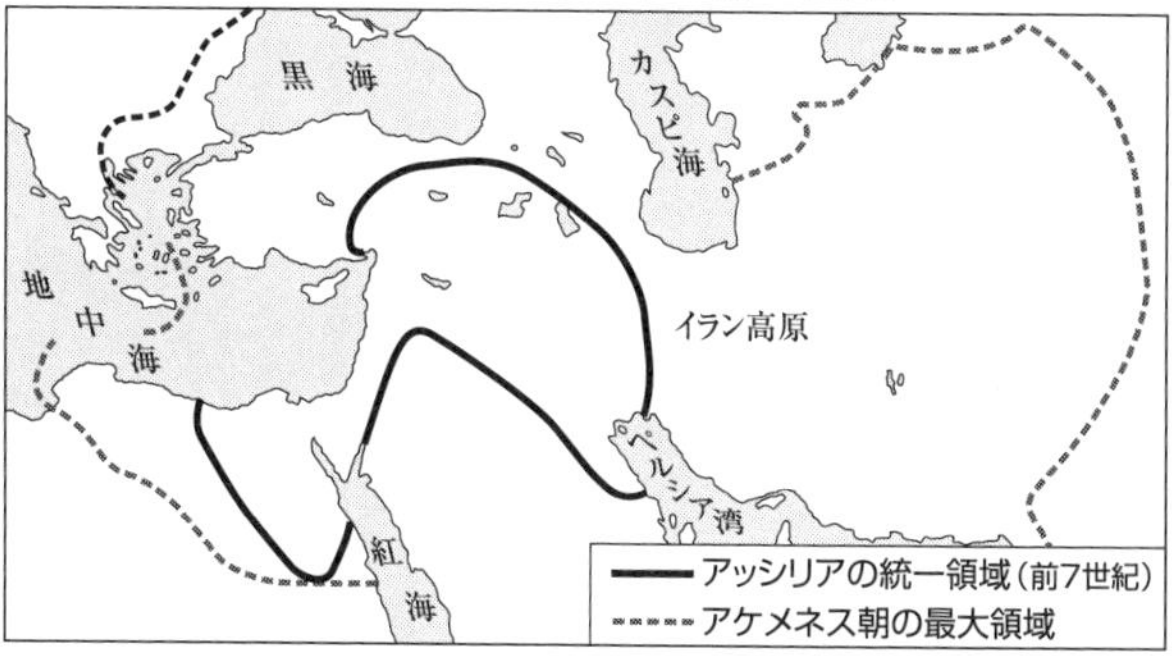

紀のモンゴル帝国や14世紀のティムールの侵攻をはじめ数回しかない。ロシアには現在のアゼルバイジャンやアルメニア、トルクメニスタンの一部を奪われてはいるが、イラン高原までの進出はゆるしていない。16世紀、中東の覇者となったオスマン帝国も、イラン高原までは進出できなかった。

たしかに、紀元前4世紀、マケドニアのアレクサンドロス大王によって征服された時代もある。7世紀、ムハンマドにはじまるイスラム勢力により征服された時代もある。けれども、イラン高原はすぐに自立を取り戻している。

それに、アレクサンドロス大王やイスラム帝国相手の屈伏は、メソポタミア地方での決戦に敗れたことに起因する。本拠のイラン高原で本格的な決戦に挑み、敗れたわけではなく、それ以前の戦いで戦力を失っていたからだ。

イランはじつに守りの堅い国家なのだが、その一方、領土的な野心に駆られやすくもある。イラン高原の西方には、肥沃なメソポタミアの平原が広がり、メソポタミアの平原からは地中海東岸まで進むことができ、さらにその先にはエジプトまでもがある。イランがひとたび強大化するなら、イラン高原からメソポタミアの平原に進出し、一大帝国を樹立することだってできるのだ。

そのため、古代にはイラン高原起源の準世界帝国が登場している。古代オリエント世界を初めて統一したのは、メソポタミアのアッシリアだが、その統一はすぐに瓦解し、イラン高原にはほとんど進出できないままだった。つづいて、紀元前6世紀、イラン高原のアケメネス朝がオリエント世界を統一する。その支配領域は、西はエジプト、バルカン半島の一部、東はインダス川にまで達していた。

アケメネス朝は4世紀にアレクサンドロス大王の進撃によって滅ぼされるが、その後もイラン高原にはパルティア、ササン朝という帝国が誕生している。ともにシリア方面で古代ローマ帝国と激しく争い、ササン朝はメソポタミアを支配下に置いた。

7世紀、ササン朝は急速に成長するイスラム勢力に滅ぼされ、イスラム化する。けれども、8世紀にはイラン高原の勢力がイスラム帝国のウマイヤ朝を滅ぼし、新たにアッバース朝を建設している。同朝は、メソポタミアに新都バクダードを造営している。

このように、イラン高原の勢力は拡張志向にはしりやすく、とくにメソポタミアを自国の領土としてきた。メソポタミアは肥沃で、かつ自然国境をもたない地域である。イラン高原からは進出しやすく、メソポタミアを保持することで、イランの王朝は繁栄を遂げてきた。これが、イラン高原からときとして「準世界帝国」が登場した理由だろう。

●メソポタミアに進出できないイランの憤懣が、核武装にはしらせる

天然の要塞国家イランに膨張志向があり、いまもメソポタミアにあるイラクへの浸透を図っている。イランは、イスラム教のなかでも少数派のシーア派国家である。一方、イラクのシーア派人口はおよそ6割とされる。イランは宗教的な結びつきもあり、イラクのシーア派を支援し、イラクを親イラン国家にしようとしている。

ただ、現状ではイランのできることはこれくらいである。イランが、イラクを自国領土化はできないだろう。イランにはかつてのようなオリエント統一の野望があるかもしれないが、それができない。

第2次世界大戦ののち、暴力による国境線の書き換えはひじょうにむずかしくなっている。国境線を書き換えようとすると、国際的な大非難を浴びる。しかも、中東は石油の供給地域として、世界の安全保障の要にもなっているから、なおさらだ。

イランは、サッダーム・フセイン時代のイラクを見て、そのことを知っている。1990年にイラクがクウェートに侵攻したとき、アメリカを中心とする多国籍軍が形成され、イラク軍は壊滅に陥った。

国境を書き換えられないイランは、苛立ち、鬱屈(うっくつ)している。そのやり場のない鬱屈が、核開発となっている。イランが核保有国になれば、イランには中東のリーダーへとなる道が開かれる。アメリカの後押しを受けるスンニ派の大国サウジアラビアも、核武装イランには分が悪くもなる。

現在、中東で唯一の核保有国はイスラエルだ。核保有という点で、中東のなかでイスラエルに対抗できる国はないのだが、イランが核を保有するなら、中東の勢力地図は変わってくる。イランは、国境の書き換えの代わりに、核武装を目指しているといっていい。

イラクがたびたび戦争の当事国となる背景

●なぜ中東世界は、争いごとが多く、混沌としやすいのか?

現在、中東ではさまざまな対立があり、情勢は混沌(こんとん)としている。現在の中東が混沌をつ

メソポタミア平原をとりまく中東3大国

づけているのは、イランとトルコ以外の国が、ほとんど自然国境をもたないからだ。

現在、中東に引かれている国境線の多くは、第1次世界大戦ののち、人工的に引かれたものである。第1次世界大戦で長く中東の覇者だったオスマン帝国が崩壊するまで、中東の多くに国境というものはなかった。オスマン帝国の領域とイランの領域があるくらいだった。けれども、第1次大戦後、オスマン帝国が瓦解していくなか、新たな国家が誕生し、国境線が引かれるようになった。

その国境線を決めたのは、イギリスやフランスなどだ。彼らの思惑が支配的で、住人の意思を無視した国境線だから、多くの国は現状の人工国境線に納得していない。彼らは少しでも国境線を書き換えたいから、争いごとが絶えないままである。

その中東の混迷をさらに深くしたのは、イラクの瓦解である。イラクのサッダーム・フセイン政権は、1991年の湾岸戦争、2003年からのイラク戦争を通じて瓦解する。イラクは弱体化したうえ、イラクにはイランが強い影響力を及ぼしはじめている。

イラクの瓦解が中東の混迷につながりやすいのは、中東の中心が融解したも同然だからだ。自然国境をもたない中東、イラクのあるメソポタミア地方である。そのメソポタミアの真空化は、中東の真空化・流動化につながりやすい。

メソポタミアは、ティグリス川、ユーフラテス川の流れる、中東最大の平原である。豊かになりやすい地域であるから、古代の4大文明のひとつもメソポタミアから発した。

中東にあっては、メソポタミアを制する者が、中東を制した。イランに発したアケメネス朝、ササン朝も、メソポタミアを支配したがゆえに中東の覇者(はしゃ)たりえた。東地中海にまで勢力を伸ばしたオスマン帝国が、中東の覇者を自負できたのも、メソポタミアを押さえていたからだ。有力国がメソポタミアを支配した時代、中東は安定したといっていい。

オマスン帝国の瓦解後、メソポタミアに新たに生まれたのが、イラクである。イラクはイギリスの保護下にあったが、独立を果たす。独立イラクの政情は不安定なままであったが、1960年代、バアス党を率いるサッダーム・フセインが独裁政治を確立することで、イラクは中東のひとつのパワーとなった。イラクには石油資源があり、アメリカの後押しもあった。

フセインのイラクが健在だった時代、中東はイラン、イラク、サウジアラビアの三大国が主導権を争うようになっていた。そこから、1980年代には、イラン対イラクの8年にもわたる激しく不毛な戦争もおこなわれたが、中東の融解はなかった。イラン、イラク、サウジアラビアの角逐により、中東の勢力均衡は保たれていた側面がある。

●アメリカのイラク潰しが中東の勢力バランスを崩した

ぎりぎりの勢力均衡によって保たれていた中東だが、1990年、イラク軍のクウェート侵攻から情勢は一転する。イラクがクウェートの吸収を図ったのは、クウェートがイギリスとアメリカの支援を背景にしただけの人工国家であったからだ。

イラクは、もともと日本の四国程度の小国クウェートを自国領であると見なしていた。だが、クウェートには膨大な石油資源が埋まっている。そこから、イギリスやアメリカは、クウェートを自らの息のかかった独立国としていた。イラン相手の戦争で疲弊(ひへい)もしていたイラクは、クウェートの吸収によって、国力の回復を図ろうとした。

　けれども、時代はすでに冷戦後である。国境の勝手な書き換えは容易には認められないし、アメリカはクウェートの石油資源をイラクに好き勝手にさせたくない。アメリカを中心に多国籍軍が組織され、1991年に湾岸戦争となる。湾岸戦争では、多国籍軍はイラク軍をクウェートから駆逐し、イラクの軍事施設を破壊した。

　アメリカは、イラクを痛めつけることによって、イラクのフセインの独裁政権が倒され、民主政権が誕生することを期待した。それがかなわなかったため、イラクが大量破壊兵器を製造しているという名目で、2003年からイラク戦争をはじめる。これにより、フセイン政権は崩壊するが、それは中東の融解のはじまりであった。

　イラクでは、アメリカの望むような、安定した民主政権は誕生していない。イラクの融解を好機として、イラク北部では、クルド人が独立運動をはじめただけではない。イラク北部には、IS（イスラム国）までも登場し、独自に勢力圏を広げようとした。イラクの中枢にはイランの革命防衛隊が浸透、イラクではシーア派のイランの影が強まりつつある。これがサウジアラビアを苛立たせ、イラン対サウジアラビアの対立色が強まっている。

　イラク、つまりメソポタミアの融解が、中東を流動化させ、新たなステージを求めはじめているのだ。

宗教対立だけではない、パレスチナ問題の深層

●なぜパレスチナは、中東の要衝なのか？

現在、中東が混迷を極めているのは、ひとつにはパレスチナの多くを支配するイスラエルの存在がある。イスラエルは、1948年に生まれた、ユダヤ人による人工国家だ。イスラエルの建国まで、パレスチナはイギリスの委任統治下にあった。1948年、そのパレスチナを、国際連合はふたつに分けた。先住のパレスチナ住民の国とユダヤ人のイスラエルにだ。

イスラエルの建国の背景にあるのは、ヨーロッパ人のユダヤ人に対する贖罪（しょくざい）の意識だ。古代ローマ帝国の時代、ユダヤ人はローマ帝国によってパレスチナから追放され、各国に散った。ヨーロッパでは長くユダヤ人が迫害され、ナチス・ドイツによるホロコーストのような悲惨な虐殺までもが起きた。その贖罪意識が、自らの国を求めていたユダヤ人たちの要求を受け入れ、ユダヤ人国家イスラエルの建国を支援したのだ。

イスラエルとパレスチナ自治区

けれども、パレスチナをはじめ中東諸国は、イスラエルをとうてい容認できなかった。イスラエルの建国は、中東の住人からすれば、ヨーロッパ諸国の失敗のツケを中東に回すようなものだった。その後、イスラエルの存在を巡って、１９４０年代から70年代にかけて四度の中東戦争が戦われ、いまもイスラエルを巡る紛争は終わることがない。中東諸国はイスラエル抹殺を目指し、イスラエルはこれに耐え、かつ領地を拡大させてきた。

中東諸国がイスラエルを憎悪するのは、宗教的な対立にもよるだろう。巨大なイスラム圏のなかに、いきなりユダヤ教の国家が誕生したのだ。それも、アメリカの支援する国家であるから、よそもの感が否めない。

宗教対立のみではない。地政学的な見方をするなら、中東諸国からすれば、イスラエルがよりによって、パレスチナにあることが問題なのだ。地中海東岸に位置するシリアやパレスチナは、中東のつなぎ目なのだ。

パレスチナ、シリアは、強力なパワーが交差する地でもあれば、中東の回廊でもある。地中海の勢力からすれば、パレスチナやシリアはその東の端にある。ここが安定するなら、地中海、ひいてはヨーロッパ世界も安定しやすい。一方、メソポタミアを中心とする中東世界からすれば、パレスチナ、シリアは地中海への出口にも当たる。そのため、古来、パレスチナ、シリアは地中海の勢力と中東の勢力の激突の場にもなった。

また、パレスチナは、メソポタミアとエジプトをつなぐ回廊上にある。トルコとイスラムの中心地マッカ(メッカ)を結ぶ回廊上にもある。その重要な回廊をイスラムでない者が押さえることを、中東のムスリムはゆるさない。だから、イスラエルの存在を認めがたいのだ。

●なぜパレスチナでキリスト教が誕生したのか?

パレスチナは、多くのパワーが衝突しやすい地であるうえ、重要な回廊だった。だから、この地でユダヤ教が育ち、キリスト教が生まれたとも考えられる。ユダヤ人たちは中東の各地を流浪、エジプトにあった時代もあったが、最後にパレスチナに定住することを選んだ。ここが、メソポタミアとエジプトをつなぐ回廊であり、地中海交易にも繰り出せる商業上の要衝と見なしたからだろう。

キリスト教の誕生、キリストの処刑があったのも、地政学的な事情による。当時、パレスチナはローマの属州であったが、パレスチナのユダヤ人たちはローマからの独立を望んだ。パレスチナは、ローマの支配する地中海圏域のもっとも東端であったから、分離運動は起こりやすかった。

この分離運動のなか、独立の旗手として期待されたのがイエス・キリストではなかったか。ゆえに、イエスは救世主のように崇められ、彼の教えに忠実であろうとする者たちが現れた。けれども、イエスにはユダヤ人国家の独立よりももっと大事な普遍性を見ようとしていた。イエスが独立の旗頭(はたがしら)とならなかったことに、独立を希望したユダヤ人たちは幻滅(げんめつ)する。彼らはイエスに罵声(ばせい)を浴びせ、イエスを処刑に追い込んだのだ。

ロシアが中央アジア制圧に固執する理由

●北カフカスを放棄できないロシアの地政学

現在、ロシアをもっとも憎悪しているのは、チェチェンだ。チェチェンはロシアに属する形になっているが、ロシアからの独立を強く望んでいる。ロシアがそれをゆるさないの

チェチェンとカフカス山脈

は、地政学的な事情からだろう。

20世紀末、ソ連の崩壊に伴い、ソ連邦に加盟していた多く国がソ連から離脱した。中央アジアではカザフスタン、ウズベキスタン、タジキスタン、キルギス、トルクメニスタンなどが独立。カフカス山脈の南ではジョージア（グルジア）、アゼルバイジャンなどが独立している。

けれども、カフカス山脈の北では、ロシアは独立をゆるさなかった。カフカス山脈の北にあるのは、チェチェンやタゲスタンらである。それは、とりわけチェチェン人の憤激を買った。チェチェンはロシアからの離反を目指し、ロシアとチェチェンは二度にわたって戦争を展開した。ロシアにとって、チェチェン問題は獅子心中の虫となっている。

それでもなお、ロシアはチェチェンを手放さないのは、ロシアには、カフカス山脈以北までは確保したい地政学的な事情があるからだ。カフカス山脈の一帯は、ロシアが黒海、カスピ海を「内海化」していくうえでの要衝なのだ。

カフカス山脈周辺の東にはカスピ海が広がり、西には黒海がある。ロシアはカスピ海ではイランと向かい合い、黒海ではトルコと向き合っている。イラン、トルコは、侮りがたい。そんななか、ロシアが北カフカスまでを放棄するなら、カスピ海、黒海におけるロシアの存在感は低下する。ロシアは、これを避けるために、チェチェンを支配しようとし、流血劇を見てきているのだ。

実際、2010年代、ロシアは北カフカスとカスピ海を実質、支配していることで、中東のシリアへの介入をおこなっている。北カフカスにはシリア攻撃への航空基地があり、ロシアのカスピ海艦隊は、シリアへのミサイル攻撃をおこなっている。

●ロシアを意固地にさせる、アフガニスタン撤退の屈辱

現在、チェチェンのある北カフカスは、ロシアに残された中央アジア方面への最後の出先といっていい。ロシアは、ソ連の崩壊によって、中央アジアからカフカス山脈方面で多

くの土地を失った。北カフカスまでも独立させるなら、もはやロシアは中央アジア戦略をとりえない。それは、「海洋ロシア」の夢を断念させることにもなる。

ロシアは帝政時代以来、不凍港の確保という夢を抱いてきた。「海洋ロシアの夢」である。19世紀、動力船が世界を制するようになった時代、ヨーロッパ列強は世界各地に勢力を伸ばし、植民地を得て、繁栄のエンジンとした。しかしながら、ロシアにはそれができなかった。ロシアは、外洋に向けての不凍港をもたなかったからだ。

19世紀、ロシアが極東に建設したウラジオストクも不凍港にならなかった。冬季、ウラジオストク近海は凍りつき、ウラジオストクの艦隊は冬眠についたも同然となる。だから、遼東半島の旅順港にまで手を伸ばし、日本と争わねばならなかった。

不凍港確保を目指すロシアが狙ったのは、中央アジア方面で勢力を拡大し、南下していく戦略だ。南下してアラビア海にまで進出するなら、ロシアは初めて不凍港を手にできる。そのロシアの矛先がアフガニスタンであり、1979年からのアフガニスタン侵攻となった。アフガニスタンを制するなら、その先、アラビア湾は近い。

けれども、アフガニスタンは「帝国の墓場」といわれる。いったん制圧するのはそうむずかしくないが、その後、執念深い反撃が待っている。剽悍なアフガニスタンの戦士たちは峡谷に身を隠し、侵略者を襲撃する。

19世紀、イギリス軍がアフガニスタンで地獄を見たし、21世紀にはハイテク化されたアメリカ軍が、アフガニスタンで泥沼にはまった。1980年代のソ連も同じように、アフガニスタンで大きく躓(つまず)き、国力を消耗した挙げ句、撤退を余儀なくされた。

アフガニスタン侵攻の失敗は、ソ連の中央アジア戦略を破綻もさせていた。タジキスタンは、アフガニスタンへの強力な兵站基地であったが、侵攻の失敗によって、逆にアフガニスタン方面からイスラム過激派の浸透を受けるようになっていた。中央アジアは動揺し、それを抑え込む力がなかったから、ソ連は中央アジアを手放さざるをえなかった。

そんなロシアでも、意地がある。その意地が、チェチェンに向かい、チェチェン相手の紛争にもなっている。

南アフリカが大陸で突出した地位にある背景

●喜望峰の存在と疫病の少ない風土が、南アフリカを押し上げた

現在、アフリカ大陸一の先進国となっているのが、南アフリカ共和国だ。その国土面積はおよそ122万平方キロ。アフリカ大陸のなかでは第9位でしかない。けれども、GDPとなるとおよそ3500億ドル。ナイジェリアに次いで、アフリカ大陸で第2位だ。

南アフリカは、たんなる資源国、農業国ではない。自前の兵器を生産できるほどの科学力、技術力を有している。すでにサッカーやラグビーのワールドカップを開催してきたほどの文化力、組織力も有している。アフリカの多くの国はいまだ部族社会のなかにあるが、南アフリカはそのひとつ先をいっているのだ。

南アフリカが先進国となれたのは、金やダイヤモンドなどの資源に恵まれたことが大きいが、そこに地政学な要因も絡んでいる。地政学的な要因から、この地に白人が居住しはじめ、農地を開拓しはじめたからだ。南アフリカは、ヨーロッパの白人たちが入植に成功した数少ないアフリカの土地であった。

それは、南アフリカがインド航路の要衝であったところからはじまる。ヨーロッパ人は、香辛料をはじめとするアジアの産物を求めてきたが、長く中東のイスラム圏を介してのものであった。そこにポルトガルがアジアとの直接交易を求め、アフリカ大陸の西岸を南下していったとき、アフリカ大陸の南端の喜望峰に行き着く。喜望峰から先、インドへの航路が開拓された。

この喜望峰回りのインド航路を、ポルトガル以上に着目したのが、オランダであった。オランダは自国の者たちに南アフリカの土地に入植させることで、喜望峰を確保したのである。

このとき、オランダ人たちに幸いしたのが、南アフリカに湿地やジャングルが少なかったことだ。おかげで、マラリア禍を避けることができたのだ。長くアフリカ大陸に、他の大陸の者たちが入り込めなかったのは、アフリカ大陸が疫病大陸でもあったからだ。とくに、マラリアはアフリカ大陸の風土病といえた。

マラリアは、いまでこそ殺虫剤・DDTによって、その蔓延が予防されているが、20世紀前半までは多くの人の命を容赦なく奪ってきた。マラリア原虫を宿しているのは、ハマダラ蚊である。ハマダラ蚊は湿地によく棲息し、アフリカ大陸の湿地は絶好の住処であった。アフリカ大陸にやってきた者がハマダラ蚊に刺されるなら、たちまちマラリアに感染し、命を奪われる者も多かった。

マラリアは、アフリカ大陸の障壁であった。ヨーロッパや中東の住人らは、マラリアを恐れ、アフリカ大陸に安易に近づけなかった。そのため、アフリカ大陸では文明の交流がなく、文化の刺激がないゆえに、文明の発展に時間がかかった。

ところが、南アフリカには、ハマダラ蚊の棲息する湿地が少なかった。ゆえに、オランダ人たちは入植し、開墾し、南アフリカが発展する素地を築けたのだ。たしかに南アフリカにおける黒人差別は厳しく指弾されるものであったが、黒人を排除するほどに白人社会は繁栄を遂げてもいたのだ。

●なぜアフリカに大国は生まれないのか?

南アフリカは現在、アフリカ随一の先進国だが、大国とまではならない。古代から現在まで、アフリカからは地域大国が生まれないままである。

これまた、アフリカ大陸の置かれた地政学的な事情である。アフリカ大陸、なかでも赤道以南では、台地が海に迫り、海岸平野が少ない。ゆえに、海岸平野に人口が集まりきらないから、港湾都市が生まれにくい。港湾都市がなければ、船による輸送は発達せず、人とモノの交流は乏しい。ために、平野部を中心とした帝国が生まれにくい。

また、赤道以北にはサハラ砂漠が広がるうえに、ジャングルも広がっている。サハラ砂漠によって、南北アフリカは断絶させられ、ジャングルによって村と村は寸断される。ここでも文化の交流は起こりにくく、統合国家は育ちにくい。

ユーラシア大陸を見るならば、農耕型社会と狩猟型社会が接触、激突、交流することで、新たな文明を生んできた。アフリカ大陸には、そうしたチャンスを得にくい地政学的な事情があったのだ。

アフリカ大陸で、唯一、可能性があったとすれば、北アフリカである。たしかに古代にはエジプトで文明が栄え、カルタゴは通商国家として地中海に君臨もした。中世、エジプトのマムルーク朝は、世界で初めてモンゴル帝国の侵攻を撥(は)ね除けてみせた。けれども、エジプトやカルタゴなど北アフリカの繁栄も、やがては地中海の対岸にあるヨーロッパ諸国や、地中海の東にある中東諸国に呑み込まれていく。

これまた、北アフリカの置かれた地政学的な事情からである。北アフリカのリビアやアルジェリア、モロッコの後背に広がるのは、サハラ砂漠である。サハラ砂漠からは、人も文明も生まれない。北アフリカは、繁栄を存続するための人的資源、物的資源を他の地域から得にくい状態にあり、限界が見えやすかった。

一方、ヨーロッパ、中東には、内陸にいくらでも人がいて、モノもある。後背地からつねに人材やモノを得られるから、北アフリカに対して優位に立ちやすい。そのため、7世紀には、北アフリカはイスラムの波に呑み込まれ、19世紀にはヨーロッパの植民地になってしまったのだ。

6章

インド・東南アジアの地政学

インドと中国は、なぜ対立するようになったのか？

インドとパキスタンが対立する地理的要因

●自然国境に囲まれたはずの大インドの弱点となるカイバー峠

インドとパキスタンといえば、犬猿の仲で知られる。第2次世界大戦を経て、両国がイギリスから独立してのち、3次にも渡る印パ戦争を体験している。1971年の第3次印パ戦争の結果、生まれたのがバングラデシュである。

インドとパキスタンの対立が深刻なのは、両国がともに核武装しているからだ。情勢しだいでは、両国間で核戦争が発生しかねず、共倒れを招きかねない。

インドとパキスタンが激しく対立するのは、隣国同士の宿命でもあれば、ヒンドゥー教のインド、イスラム教のパキスタンという宗教事情にもよる。かつてはインド大陸のなかでムスリムとヒンドゥー教徒は共存していたのだが、インドを支配したイギリスの狡猾（こうかつ）な分割統治政策によって、互いが憎み合うよう誘導された。

ただ、インドがパキスタンをことさらに警戒するのは、そうした宗教事情からのみではない。パキスタンの地政学的な地位が、インドにとっては恐怖である。インドの統治者にとって、パキスタンの位置こそ、もっとも警戒すべき脅威となるのだ。

インドは海洋勢力のイギリスの支配を受けた国とはいえ、もともとは侵略を受けにくい地域であった。パキスタンを含めた大インドを地政学的な視野で眺めるなら、大インドは険しい山脈と海に囲まれていて、インドは自然国境から成立した広大な地域である。

インドの南半分、大きな半島のように突き出した亜大陸部分は、インド洋に囲まれ、海洋は長く自然国境として機能しつづけてきた。北にはヒマラヤ山脈があり、チベット、中国を隔てている。北もまた、強力な自然国境であった。

インドの東はというと、ミャンマーとの間には、バトカイ山脈とジャングルがある。第2次世界大戦の末期、日本軍はインドへの侵攻ルートとして、英領インドのこの地域を攻める「インパール作戦」を打ち出した。しかしながら、その自然環境の前に、日本軍は苦しみつづけ、ついに撤退を余儀なくされている。

パキスタンを含めた大インドの西方はどうかというと、険しい山岳地帯でアフガニスタンと国境を接している。この山岳国境が、かつては大インドと中東を分かつところであった。あるいは、山岳地帯よりも東、パキスタンの中央を流れるインダス川が、大インドと中東の境目であった。古代の中東帝国アケメネス朝の勢力圏も、せいぜいインダス川にとどまっていた。アケメネス朝を滅ぼしたアレクサンドロス3世も、わずかにインダス川を越えたにすぎない。

大インドとアフガニスタンを隔てる山脈のひとつであるヒンドゥークシュ山脈は、ペルシャ語で「インド人殺し」を意味する。インドからこの山脈を越えようとして、多くの者が命を落としてきた難所である。

けれども、大インドとアフガニスタンを分かつ山岳国境は、無敵の防壁ではなかった。時代が下るにつれ、中央アジア、アフガニスタンからこの山岳国境、なかでも有名なカイバル峠を越えて、インドに侵攻する勢力が増えはじめたのだ。インドは、つねに西北から強烈な圧力を受けるようにさえなったのだ。

それは、10世紀からはじまる。このころアフガニスタンで強大化したのは、ガズナ（ガズニー）朝である。トルコ系のムスリム傭兵(ようへい)によって建国されたガズナ朝は、アフガニスタンのガズニーを根拠地として勢力を伸ばしはじめた。このとき、彼らが狙ったのはインドである。ガズナ朝はたびたびインドへ侵攻を繰り返し、なかでも第3代君主のマフムードは、インドへの大侵攻をかけた。その侵攻はインドの中西部のみならず、海からベンガル湾岸にも上陸さえしている。

インドは、北西の山岳地帯からの侵攻に脆さを露呈した。マフムード以後も、中央アジア、アフガニスタン方面からの侵攻は相次ぎ、彼らは掠奪のみならず、インドに定着をはじめた。13世紀初頭には、傭兵出身の武将アイバクがデリーを都としてイスラム王朝を開いている。以後、デリーにはムスリム王朝が生まれ、その仕上げがムガル帝国となる。

その間、13世紀にインドを席巻したのは、チンギス・ハンによるモンゴル帝国である。彼らもまた、アフガニスタン方面からインドへとなだれ込み、奥深くまで荒らしている。モンゴルの騎兵にとって、険しい山脈は越えられないものではなかったのだ。

14世紀、モンゴル帝国の後継者を自負するティムールが中央アジアに登場すると、彼もまたインドを目指した。インドは、北西国境から攻められっぱなしであった。

●ムガル帝国は、インドに侵攻したモンゴル帝国の再来であった

西北からのインド侵攻の最後にくるのは、ムガル帝国である。ムガル帝国を打ち立てたのは、中央アジアの覇者であったティムールの第5代の孫・バーブルだ。バーブルはチンギス・ハンの血を継承しているともいわれ、いわばモンゴル帝国の継承者であった。

バーブルは、当初、中央アジアに野心を向けていた。ティムール帝国のかつての首都サマルカンドの奪取こそ彼の悲願であったが、中央アジアでの勢力争いは厳しい。敗退した

バーブルは、アフガニスタンのカーブルまで退き、今度は先祖チンギス・ハンも狙ったインドを目指した。

バーブルの軍はインドでロディー朝の軍を破り、ムガル帝国を建国する。「ムガル」は、「モンゴル」のヒンディー語読みであり、インドはモンゴル人の末裔(まつえい)に支配されることになったのだ。ムガル帝国は、インド版モンゴル帝国でもあったのだ。

インドが中央アジア、アフガニスタンの勢力に狙われつづけたのは、インドが豊かであったからだ。中央アジアは通商のルートにはなっても、農耕にはさほど向かない。インドのほうがずっと肥沃(ひよく)であり、インドには富がある。その富を求めて、中央アジア、アフガニスタンの勢力は険しい山を越えたのだ。

しかも、中央アジアからアフガニスタンの勢力にとって、インドはもっとも富を得やすい地である。中央アジアの北方は砂漠地帯でしかない。東方にはパミール高原があり、その先の東トルキスタンにも砂漠地帯が多い。西を目指すなら、地域大国イランがあり、イラン高原の攻略はむずかしい。東南方面にもたしかに険しい山脈が横たわっているが、これを越えるなら、インドである。インドにひとたび入るなら、富を得られるのだ。

このように、インドのもっとも弱い脇腹は西北方面である。その西北方面に現在あるのは、パキスタンだ。しかも、インドとパキスタンの間には、自然国境はない。両国はノーガードで、向かい合っている。

インドの統治者は、その歴史からも、インドを脅かし侵略するのは、北西方面からと知っている。ゆえにパキスタン、さらにその背後にいる勢力を警戒せざるをえないのだ。

現在、パキスタンに浸透しているのは、中国である。大国・中国がパキスタンの背後にあるゆえに、インドはなおさらのことパキスタンに怯え、対立を深めている。

インドと中国が対立するようになった背景

●中国のチベット支配によって、インドと中国の対立がはじまった

現在、インドがもっとも敵対視しているのはパキスタンだが、インドにとってパキスタン以上の脅威となっているのが中国である。中国がパキスタンと結びつき、インド包囲網をつくりあげているからだ。

もともと、インドと中国には対立する案件はなかった。両国に、国境を接している意識が乏しかったからだ。

しかも、現在のインドも共産党の中国も、第2次世界大戦ののちに生まれた新興国家である。ともに新興国家であるだけに、建国当初は協調路線を歩み、アメリカの帝国主義的なあり方に対抗さえもしていた。

そのインドと中国の関係が悪化するのは、中国によるチベット併合からだ。チベットは、20世紀初頭まで中国大陸を統治した清帝国の藩部であった。清に服従しているとはいえ、独立国に等しく、インドもチベットを独立国と見なしてきた。そのチベットを中国は制圧し、チベット仏教の弾圧をはじめたのだ。

インドは、チベットの指導者ダライ・ラマ14世の亡命を受け入れ、中国に対して敵対しはじめる。チベットの中国化が進むなら、インドは中国と直接、山岳地帯で対峙しなければならない。インドは中国の膨張戦略を警戒し、中国もインドの出方を警戒した。これが、1962年の中印国境紛争となり、紛争は中国軍の圧勝に終わった。

中印紛争でのインドの完敗は、パキスタンと中国を結びつけさえもした。すでにパキスタンは、カシミールの帰属を巡って、1948年に第1次インド・パキスタン戦争を経験していた。この戦争に勝てなかったパキスタンは、インドに圧勝した中国をパートナーに見たのだ。

●中国はいかにしてインド包囲網を築いていったのか？

１９６０年代以降、敵対をはじめたインドと中国だが、現在、中国の世界戦略のなかでインドは邪魔な存在になっている。そこから、中国はインド包囲戦略に出ている。

現在、中国の新疆(しんきょう)とパキスタンはカシミール地方でつながっていて、チベット、新疆、カシミール、パキスタンという鎖でインドを陸地から包囲している。中国とインドの間にある山岳国家ネパールも、中国の影響力を受けつつある。さらに、中国はひそかにミャンマーの軍事政権を支援し、ミャンマーの親中国化を進めている。ミャンマーまでが中国陣営に加わるなら、ミャンマー、チベット、ネパール、新疆、カシミール、パキスタンというラインで、インドは陸から中国の完全包囲を受け、孤立する。

加えて、中国はインド洋でもインドの存在を消そうとしている。インドはインド洋での地位を確保するため、すでに空母までも保有している。これに対して、中国はスリランカに接近し、巨大な港を建設し、その運営権を手にしている。将来、中国海軍の根拠地になることを想定してのことだ。スリランカが中国海軍の基地になれば、中国はインドを海洋からも包囲し、大国インドを締め上げていけるのだ。

中国が巨大なインド包囲網を築きあげていったのは、ひとつには中東の石油を確保するためである。中国は、インド洋、マラッカ海峡でインドに邪魔されない石油輸入ルートを構築するためにも、インドを包囲しているのだ。

まずはスリランカに海軍基地をもつなら、インド海軍を抑制できる。パキスタンの西端のグワーダルに巨大な港湾を建設すれば、中東の石油はグワーダルからカシミール、新疆を通じて、中国に送ることができる。ミャンマーに中国の管理する港を建設するなら、ミャンマー経由で石油を確保できる。かりにマラッカ海峡が封鎖される事態になっても、中東からの石油調達網を確保するため、中国はインド包囲に出ているのだ。

中国は陸地でのインド包囲網をさらに進めてもいる。1章でも触れたように、中国は、インド領のアルナチャル・プラデーシュの領有を主張もしはじめている。アルナチャル・プラデーシュは、チベットの南に位置し、ミャンマーとも国境を接する。中国が同地にも影響力を及ぼすなら、インド包囲網はますます狭まり、インドの領土を削り取ることだってできるのだ。

これに対して、インドの戦略は、アメリカ、日本、オーストラリアと結んでの中国包囲だ。この戦略はもともと日本の安倍晋三が首相時代に構想したものだが、すでに安倍は首相の座を退いている。インドの対中包囲網と中国の対インド包囲網の対決は、陸地で包囲

インドをとりまく親中国の国々

されているインドが不利である。

インドが陸地における対中包囲網の切断のために狙っているのは、カシミール地方の完全領有だろう。カシミール地方は、インドとパキスタンの双方が領有権を主張する争地である。

インドがカシミール地方を完全に実効支配するなら、中国とパキスタンをつなぐ陸地は消滅する。それは、中国とパキスタンを切り離すだけでなく、中国の石油輸入ルートのひとつを破壊することにもつながる。

もちろん、パキスタン、中国がそれをゆるすはずもなく、インドは包囲網を打ち破りにくい状態だ。

中国が南シナ海の実効支配を目指す理由

●中国による南シナ海の「内海化」は、日本を締め上げることになる

現在、中国の膨張戦略は、東南アジア方面にも及んでいる。狙いは、南シナ海のスプラトリー諸島の切り取りだ。

スプラトリー諸島は、中国では「南沙諸島」と呼ばれ、およそ100の小さな島や岩礁からなる。スプラトリー諸島は、南シナ海の中央部にある。台湾、フィリピン、マレーシア、ブルネイら南シナ海周辺国のどの国も領有を主張するなか、中国は積極的に実効支配を進めている。

中国は、スプラトリー諸島領有問題に関しては、後発組である。スプラトリー諸島により近いフィリピン、ベトナム、マレーシアなどが領有権を巡って対峙していたなか、1980年代から野心を剝き出しにする。1988年、ベトナムの実効支配していた赤瓜礁（ジョンソン南礁）を海戦によってベトナムから奪っている。赤瓜礁は、スプラトリー諸島の中心に位置するだけに、その実効支配はスプラトリー諸島全体に睨みをきかせることにな

スプラトリー諸島をめぐる国々

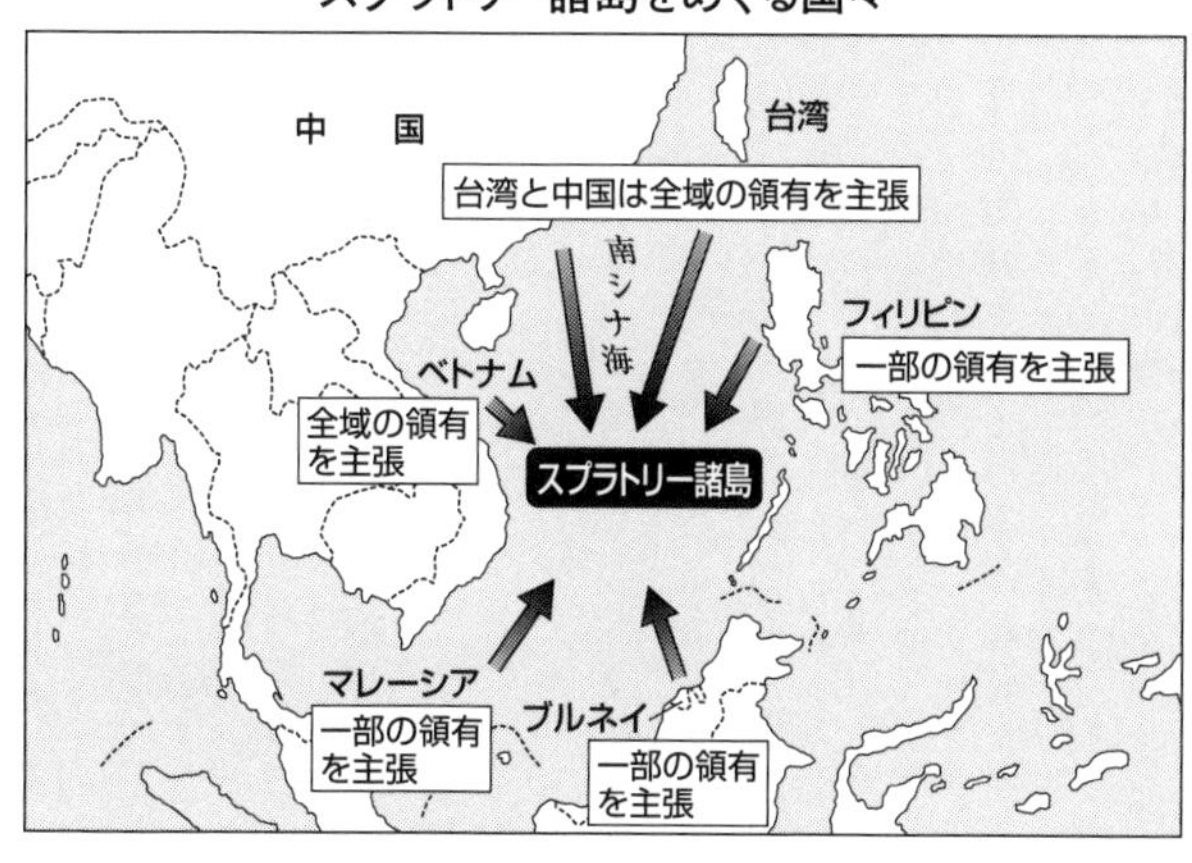

った。つづいて1995年、フィリピンからミスチーフ礁を奪い、ここに滑走路を建設さえもしている。

スプラトリー諸島を巡る攻防では、現在、中国が圧倒的に優勢であり、中国はその完全支配を目指していると思われる。その行き着く先が、スプラトリー諸島の完全な軍事基地化だと思われる。

中国がスプラトリー諸島の制覇を目指すのは、すでに述べてきた中国の海洋戦略の一環である。中国は東シナ海の「内海化」のみならず、南シナ海の「内海化」を目標としている。

たしかに東シナ海は中国大陸に近い海であり、中国が内海化を図る戦略はありうる。けれども、南シナ海となると、話は違う。南シナ海の北部までなら、中国の沿岸に近いが、南シナ海の中央から南部は、中国からは遠い。さらにいうなら、中国の歴史と南シナ海にはさほど強いつながりはない。たしかに南シナ海を渡ってイラスム商人たちが中国を訪れた時代もあったが、その時代、中国が南シナ海を制していたわけではない。南シナ海は、長く自由の海であった。中国も、その恩恵に与ってきたはずだ。

にもかかわらず、中国が南シナ海の内海化を狙っているのは、中国が西太平洋の覇者になりたいからだ。つまりは、東アジア、東南アジアに圧倒的な影響力を及ぼす国になりたいからだろう。

南シナ海は、日本や韓国にとっては、はるかかなたの海域であり、どうでもよさそうだが、そうではない。南シナ海は、日本や韓国の生命線ともいえる。中東の石油は、インド洋からマラッカ海峡を抜け、南シナ海、東シナ海のルートで日本や韓国にもたらされる。

中国が南シナ海を実効支配し、その航海の許可権を握るなら、この一点で日本や韓国は中国に頭が上がらなくなる。

かりに南シナ海を日本の船舶が航行できないとなると、石油タンカーはインドネシアのジャワ海、マカッサル海峡を抜け、フィリピンの東方を北上しなければならない。

この大回り航路をとるなら、原油コストは上がり、日本の産業の競争力を低下させる。

それが嫌なら、日本は中国に下り、自主外交の放棄さえも迫られるだろう。韓国とて、同じである。

また、南シナ海の中央、スプラトリー諸島に中国が強力な軍事基地を置くなら、東南アジア諸国への恫喝になる。フィリピン、ベトナム、ブルネイ、マレーシア、インドネシア、タイに対する中国の影響力はおおいに強まるだろう。

●日本の大東亜共栄圏構想を彷彿させる中国の戦略

南シナ海の完全な「内海化」の先に、中国が見ているものがあるとすれば、ブルネイの石油資源であろう。中国は、「資源パラノイア」ともいわれる。成長のために資源を確保せずにはいられず、とりわけ石油資源の確保にはなりふりをかまわない。東南アジアでの影響力が強まるなら、ブルネイの石油を自由にすることも可能になってくる。

そして、その先にあるのが、オーストラリアの包囲、アメリカとオーストラリアの寸断である。

すでに述べたように、中国はソロモン諸島やパプアニューギニア、フィジーをオーストラリアから引き剝がし、親中国に変えつつある。中国の東南アジア覇権が完成すれば、インドネシアからパプアニューギニア、ソロモン諸島、フィジーあたりまでが、中国の海洋弧となる。まるで日本のかつての大東亜共栄圏を思わせる構図を、中国は企てていることになる。

スプラトリー諸島支配は、中国の南シナ海支配、東南アジアでの覇権確立のための強力な布石である。ここを中国が要塞化してしまうなら、もう後戻りはむずかしい。現在、南シナ海の自由を守るため、アメリカ海軍は「航行の自由作戦」を掲げ、スプラトリー諸島周辺を航海している。

けれども、アメリカに積極的に協力する国はないままだから、中国は南シナ海での圧倒的な存在感をじわりと強めているのだ。

共産主義同士で対立する中国とベトナムの関係

●中国に対する縦深戦略のために選ばれた首都・ホーチミン

現在、ベトナムの首都・ホーチミンは、東南アジア屈指の大都市に成長している。かつてはサイゴンの名で知られたホーチミンの歴史は、じつは短い。歴代ベトナム王朝の都となったことはない。

長くベトナムの中心であったのは、現在のハノイである。ハノイは、かつてはタンロン（昇龍）と呼ばれ、１０００年以上もベトナムの都であった。メコン川デルタにあるサイゴンは長く未開の田舎であったが、ベトナム戦争を経て、統一ベトナムの都となった。ホーチミンをサイゴンの名で都市化したのは、フランス人たちである。19世紀、フランスはベトナムの植民地化を進め、その過程でサイゴンを港町として成長させた。フランスの撤退後、サイゴンを都としたのは、アメリカの後押しした南ベトナム（ベトナム共和国）である。

一方、北にはハノイを首都とする北ベトナム（ベトナム民主共和国）があり、南北ベトナムは対立し、ベトナム戦争となる。

ベトナム戦争では、南ベトナムをアメリカが支えつづけ、共産主義者・ホーチミン率いる北ベトナムをソ連、中国が支援する構図となった。無敵だったはずのアメリカ軍はベトナムのジャングルでは勝ちきれず、ついに撤退、１９７６年、南ベトナムの都・サイゴンは北ベトナム軍によって陥落させせられた。

以後、勝者となったホーチミンの共産党政権は、都をハノイからサイゴンへと移し、サイゴンの名をホーチミンと改称した。

ホーチミンの共産党政権がハノイを捨て、南に偏ったサイゴンを首都としたのは、たんにサイゴンが繁栄した都市だったからではない。サイゴンがベトナムのなかで南に偏った都市であるという、地政学的な事情を認めての話だろう。

統一ベトナムの政権は、中国の影響力を忌避（きひ）し、その都を中国から離れたところに置いたのだ。ベトナムは、中国からの侵攻に対して、縦深性をもたせるために、中国国境から遠いサイゴンを首都としたといえる。

たしかに、ベトナム戦争にあっては、中国はベトナムの支援国であった。中国の後ろ盾があればこそベトナムはアメリカを追い払えたのだが、ベトナム人は中国をまったく信用していなかったのだ。

実際、ベトナム戦争後の1979年、中国軍がベトナムに侵攻、中越紛争に発展している。中越紛争では、ベトナム軍が中国軍に大きな損害を与えている。ベトナムは、つねに中国に備えていたのである。

●なぜ歴代中国王朝は、ベトナムを完全に支配できなかったのか？

中越紛争が象徴するように、ベトナムの歴史は、中国王朝との戦いの歴史であったといってもいい。ベトナムは西でラオス、カンボジアと国境を接しているが、ラオス、カンボジアの脅威度は低かった。

一方、ベトナムの北の国境には中国がある。ベトナムはつねに大国・中国からの圧力を受け、その圧力をいかに撥ね除けていくかの歴史であった。

中国王朝のベトナム支配の歴史は、古代の漢帝国の時代あたりからはじまっている。7世紀、唐帝国は、ハノイに大総管府を置き、ベトナムを支配しつづけている。

ベトナムが独立するのは、ようやく10世紀のことである。それは、10世紀の東アジアの勢力大変動を受けてのものだった。中国大陸では唐帝国が滅亡し、混乱を経て宋帝国が誕生したが、宋は北方でモンゴル系のキタイから強い圧迫を受けつづけた。キタイののちは、満洲に勃興したジュルチン（女真）に圧倒されもした。宋の弱体もあって、ベトナムは独立に向かうことができたのだ。

以後のベトナムは、独立と従属の狭間で揺れる。南宋を滅ぼしたモンゴル帝国はベトナムにも侵攻、一時は支配するが、最後にはベトナムから追い払われている。明帝国の時代になると、永楽帝がベトナムを攻め、いったんはベトナムを服属させている。けれども、そののち明軍もまたベトナムから駆逐されている。

中国王朝がベトナム支配を欲しながらも、果たせないのは、ベトナムの酷暑、ジャングル、湿地といった風土がベトナムの防壁となっているからだ。しかも、ベトナムに攻め込むには、狭い海岸線しかなく、湿地帯を進むほどに消耗は激しい。

ベトナムも、日本や朝鮮半島と同じく起伏の多い土地である。日本や朝鮮半島で村の一つひとつを服属させていくのが困難だったように、ベトナムでもそれはむずかしい。下手すれば、ゲリラ戦が展開され、統治どころではない。そのため、無敵のモンゴル軍やアメリカ軍でさえもが、敗退していくしかなかった。ベトナムは、その自然環境を盾に、中国をはじめとする大国から身を守ってきたのだ。

ベトナムで、ホーチミンのあるメコンデルタが開発されていくのは、17世紀以降のことである。ちょうど、日本の江戸時代初期、各地で河川流域の開発と開墾がはじまった時代と同じである。

ベトナムの住人たちはメコンデルタに移住をはじめ、メコンデルタはやがては豊かな穀倉地帯に変わっていく。こうしてベトナム南部が成長したことで、ベトナムは統一に向かっていく。

それまでベトナムは北部に偏重し、中国文明の影響を受けつづけていて、南部は別の形で存在していた。南部の成長もあって、19世紀にベトナムは統一され、いまの国境に近い姿となった。

こうして南部が開発されていったとき、ベトナム人が考えはじめたのは、中国との距離感である。ベトナムは、中国に対して縦深性を確保するために、南部にシフトしていったのだ。

さいごに

現在、中国が直面しているのは、アメリカ、日本、インド、オーストラリアによる包囲網「クァッド」である。21世紀版中国包囲網ともいえる「クァッド」だが、しょせんは海洋勢力中心の中国包囲網にすぎない。かつて清の皇帝たちが陸地に構築した鉄のラインほどの中華封じ込めの力はなく、中国の膨張戦略を抑え込む決定力にはなりえないだろう。

クァッドには「陸の力」が必要となる。「クァッド（4）」ではなく、陸と海とで「ペンタゴン（五角形）」以上を形成するなら、情勢は変わる。中国は、陸地に世界一長大な国境線を有す。これこそが、中国の地政学的な最大の弱みでもある。国境線周辺のどこかに強いストレスがかかるなら、膨張戦略を捨て、守勢にさえ回るだろう。

一方、すでに本書で述べたように、中国はかつて清帝国による中華包囲網を解体、自国の盾に組み換えつつある。いまや地球を俯瞰しようとする中国なら、21世紀の新たな中国包囲網をも、自国の盾に組み換えようとするだろう。中国は、小さな穴から攻め、大きな獲物を掠め取る。その穴は果たして尖閣諸島なのか、それとも東京なのか。中国の知謀を打ち砕くだけの智略と覚悟が、日本、アメリカに必要とされる。

●参考文献

『マッキンダーの地政学』H・J・マッキンダー（原書房）
『平和の地政学』ニコラス・スパイクマン（芙蓉書房出版）
『恐怖の地政学』T・マーシャル（さくら舎）
『現代地政学　国際関係地図』パスカル・ボニファス（ディスカヴァー・トゥエンティワン）
『最新、世界紛争地図』パスカル・ボニファス、ユベール・ヴェリドーヌ（ディスカヴァー・トゥエンティワン）
『新版、地政学』奥山真司（五月書房）
『20世紀の戦争』三野正洋、田岡俊次、深川孝行（朝日ソノラマ）
『地図で見る中東ハンドブック』ピエール・ブラン、ジャン＝ポール・シャニョロー（原書房）
『世界地図を読み直す』北岡伸一（新潮社）
『ガダルカナル島の近現代史』内藤陽介（扶桑社）
『日本の南洋戦略』丸谷元人（ハート出版）
『モンゴルの歴史』宮脇淳子（刀水書房）
『紅衛兵とモンゴル人大虐殺』楊海英（筑摩書房）
『地図で見る中東ハンドブック』ピエール・ブラン、ジャン＝ポール・シャニョロー（原書房）
『世界の歴史9　大モンゴルの時代』杉山正明・北川誠一（中央公論新社）
『世界の歴史12　明清と李　朝の時代』岸本美緒・宮嶋博史（中央公論新社）
『世界の歴史13　東南アジアの伝統と発展』石澤良昭・生田滋（中央公論新社）
『世界の歴史19　中華帝国の危機』並木頼寿・井上裕正（中央公論新社）
『世界の歴史28　第二次世界大戦から米ソ対立へ』油井大三郎・古田元夫（中央公論新社）
『世界の歴史29　冷戦と経済繁栄』猪木武徳・高橋進（中央公論新社）
『世界の歴史30　新世紀の世界と日本』下斗米伸夫・北岡伸一（中央公論新社）

『世界の歴史7　大唐帝国』宮崎市定（河出書房新社）
『世界の歴史10　西域』羽田明・他（河出書房新社）
『世界の歴史11　アジアの征服王朝』愛宕松男（河出書房新社）
『世界の歴史14　明と清』三田村泰助（河出書房新社）
『世界の歴史19　インドと中近東』岩村忍・勝藤猛・近藤治（河出書房新社）
『世界の歴史20　中国の近代』市古宙三（河出書房新社）
『東アジア民族の興亡』大林太良・生田滋（日本経済新聞社）
『新訂　将門記』林陸朗校注（現代思潮新社）
『毛沢東　五つの戦争』鳥居民（草思社）
『それでも戦争できない中国』鳥居民（草思社）
『遊牧民から見た世界史』杉山正明（日本経済新聞社）
『モンゴルの歴史』宮脇淳子（刀水書房）
『逆転の大中国史』楊海英（文藝春秋）
『中国歴史地図』朴漢済編著（平凡社）
『20世紀の戦争』三野正洋・田岡俊次・深川孝行（朝日ソノラマ）
『決定版　太平洋戦争5　消耗戦』（学研パブリッシング）
『「海洋国家」日本の戦後史』宮城大蔵（筑摩書房）
『情念戦争』鹿島茂（集英社インターナショナル）
『戦場の歴史2　第2次世界大戦』ジョン・マクドナルド（河出書房新社）

地政学で読む近現代史

2021年5月20日　初版印刷
2021年5月30日　初版発行

著者◉内藤博文

企画・編集◉株式会社夢の設計社
東京都新宿区山吹町261　〒162-0801
電話（03）3267-7851（編集）

発行者◉小野寺優

発行所◉株式会社河出書房新社
東京都渋谷区千駄ヶ谷2-32-2　〒151-0051
電話（03）3404-1201（営業）
http://www.kawade.co.jp/

DTP◉イールプランニング

印刷・製本◉中央精版印刷株式会社

Printed in Japan　ISBN978-4-309-50424-7